Escritos seletos

Dados Internacionais de Catalogação na Publicação (CIP)
(Câmara Brasileira do Livro, SP, Brasil)

Lutero, Martinho, 1483-1546.
 Escritos seletos / Martinho Lutero ; organização e revisão de Luis Alberto De Boni ; tradução de Ilson Kayser... [et al.]. – Petrópolis, RJ : Vozes, 2019. – (Coleção Vozes de Bolso)

 Título orignal: Mar. Lutheri Tractatus de libertate.
 Outros tradutores: Martin N. Dreher, Helberto Michel e Arno F. Steltzer.
 ISBN 978-85-326-6199-9

 1. Cristianismo e política – Obras anteriores a 1800 2. Lutero, Martinho, 1483-1546 – Escritos 3. Reforma protestante – Obras anteriores a 1800 I. De Boni, Luis Alberto, 1940-. II. Título. IV. Série.

19-27190 CDD-270

Índices para catálogo sistemático:
1. Lutero : Período da reforma : Escritos : Igreja cristã 270

Maria Alice Ferreira – Bibliotecária – CRB-8/7964

Martinho Lutero

Escritos seletos

Organização e revisão de
Luis Alberto De Boni

Tradução de
Ilson Kayser, Martin N. Dreher,
Helberto Michel e Arno F. Steltzer

Vozes de Bolso

Título do original em latim: *Mar. Lutheri Tractatus de libertate... et alii*

© desta tradução:
2000, 2019, Editora Vozes Ltda.
Rua Frei Luís, 100
25689-900 Petrópolis, RJ
www.vozes.com.br
Brasil

Todos os direitos reservados. Nenhuma parte desta obra poderá ser reproduzida ou transmitida por qualquer forma e/ou quaisquer meios (eletrônico ou mecânico, incluindo fotocópia e gravação) ou arquivada em qualquer sistema ou banco de dados sem permissão escrita da editora.

CONSELHO EDITORIAL

Diretor
Gilberto Gonçalves Garcia

Editores
Aline dos Santos Carneiro
Edrian Josué Pasini
Marilac Loraine Oleniki
Welder Lancieri Marchini

Conselheiros
Francisco Morás
Ludovico Garmus
Teobaldo Heidemann
Volney J. Berkenbrock

Secretário executivo
João Batista Kreuch

Diagramação: Sheilandre Desenv. Gráfico
Revisão gráfica: Nilton Braz da Rocha / Fernando S.O. da Rocha
Capa: Ygor Moretti

ISBN 978-85-326-6199-9

Texto anteriormente publicado em Escritos Seletos de Martinho Lutero, Tomás Müntzer e João Calvino, organização, revisão e apresentação de Luis Alberto De Boni, Ed. Vozes, 2000 (vários tradutores).

Editado conforme o novo acordo ortográfico.

Este livro foi composto e impresso pela Editora Vozes Ltda.

Sumário

1 Sobre a liberdade cristã, 7

2 Da autoridade secular, 51

3 Exortação à paz, 105

4 Carta aos príncipes da Saxônia, 139

5 Contra as hordas salteadoras e assassinas dos camponeses, 155

Notas, 165

1

Sobre a liberdade cristã[*1]

A muitos a fé cristã parece coisa fácil, e não poucos também a contam entre as virtudes. Fazem isso porque não a provaram por nenhuma experiência e nunca tomaram o gosto de quão grande é seu poder, visto ser impossível que escreva bem a respeito dela ou entenda bem escritos corretos sobre ela quem não tenha alguma vez provado o espírito da mesma através de tribulações urgentes. Quem, todavia, tiver provado, por pouco que seja, jamais pode escrever, dizer, pensar, ouvir o suficiente a respeito dela, pois tal pessoa é uma fonte viva que jorra para a vida eterna, como Cristo a chama em Jo 4,14. Eu, porém – embora não possa gloriar-me de abundância e saiba quão pequeno é meu suprimento –, espero ter alcançado um pouco de fé, agitado que fui por grandes e várias tentações. Espero também poder falar dela, se não de modo mais elegante, pelo menos de modo mais sólido do que estes debatedores literais e, sem dúvida, sutis dissertaram até hoje sem entender suas próprias palavras. Para abrir um caminho mais fácil para as pessoas rudes (pois é só a estas que sirvo), adianto estas duas teses acerca da liberdade e da servidão do espírito: 1) O cristão é um senhor libérrimo sobre tudo, a ninguém sujeito. 2) O cristão é um servo oficiosíssimo de tudo, a todos sujeito.

Ainda que estas afirmações pareçam contradizer-se, elas se prestarão muito bem ao nosso propósito quando se descobrir que concordam entre si. Pois são do próprio Paulo, que diz ambas: "Embora sendo livre, fiz-me escravo de todos" (1Cor 9,19). "A ninguém fiqueis devendo qualquer coisa, exceto que vos ameis uns aos outros" (Rm 13,8). Ora, por sua natureza o amor é oficioso e submisso ao que é amado. Assim também Cristo: embora Senhor de todos, foi feito de mulher, feito sob a lei[2], simultaneamente livre e servo, ao mesmo tempo na forma de Deus e na forma de servo[3].

Abordemos isso desde o princípio, de maneira mais profunda e clara: a pessoa humana é constituída de natureza dupla, a espiritual e a corporal. De acordo com a natureza espiritual, que denominam a alma, ela é chamada de pessoa espiritual, interior, nova. De acordo com a natureza corporal, que denominam a carne, ela é chamada pessoa carnal, exterior, velha, sobre a qual o apóstolo [escreve] em 2Cor 4,16: "Mesmo que nossa pessoa exterior se corrompa, a interior é renovada dia a dia". Essa diversidade faz com que nas Escrituras se digam coisas contraditórias acerca da mesma pessoa, visto que também na mesma pessoa estas duas pessoas estão em luta uma com a outra, na medida em que a carne cobiça contra o espírito, e o espírito contra a carne (Gl 5,17).

Voltemo-nos, pois, em primeiro lugar, à *pessoa interior*, para ver o que faz com que ela se torne justa, livre e verdadeiramente cristã, isto é, pessoa espiritual, nova, interior. Evidentemente que em absoluto nenhuma coisa externa, qualquer que seja o nome que se lhe dê, tem qualquer significado para a aquisição da justiça ou da liberdade cristã, como também não o tem para a aquisição da justiça ou da servidão, como é fácil comprovar. Pois que poderia ser útil à alma se o corpo passa bem, está livre e cheio de vida, come, bebe e faz o que quer, quando até os mais ímpios escravos de todas as depravações florescem nestas coisas? Por outra, que mal fará à alma a saúde abalada, ou cativeiro, ou fome, ou sede, ou qualquer outro incômodo externo, quando até as pessoas mais piedosas e mais livres na consciência pura são atormentadas por estas coisas? Nenhuma dessas coisas alcança a alma para libertar ou escravizá-la. Assim de nada adianta[4] se o corpo se enfeita com vestes sacras, a exemplo dos sacerdotes, ou permanece em recintos sagrados, ou se ocupa com ofícios sagrados, ou ora, jejua, se abstém de certos alimentos e faz toda obra que pode ser feita por meio do corpo ou no corpo. É preciso algo bem diferente para [trazer] justiça e liberdade à alma, visto que aquilo que referimos pode ser feito por qualquer ímpio, e por meio desses esforços não se produz outra coisa do que hipócritas. Por outro lado, não prejudica a alma se o corpo está vestido de vestes profanas, se detém em lugares profanos, come, bebe em sociedade, não ora em voz alta e deixa de fazer todas as coisas anteriormente mencionadas que podem ser feitas pelos hipócritas.

E para rejeitarmos tudo, também as especulações, meditações e qualquer coisa que pode ser produzida pelo esforço da alma de nada aproveita. Uma só coisa é preciso para a vida, a justiça e a liberdade cristã, e somente esta: é o sacrossanto Verbo de Deus, o Evangelho de Cristo, como Ele diz em Jo 11,25: "Eu sou a ressurreição e a vida; quem crê em mim não morrerá eternamente". Do mesmo modo em Jo 8,36: "Se o Filho vos libertar, sereis verdadeiramente livres". E em Mt 4,4: "Não só de pão vive a pessoa, mas de toda palavra que procede da boca de Deus". Portanto, temos que ter por certo e estabelecido firmemente que a alma pode carecer de todas as coisas, exceto da Palavra de Deus, sem a qual absolutamente nenhuma coisa lhe é de valia. Tendo, porém, a Palavra, ela é rica, de nada mais carecendo, visto ser a palavra da vida, verdade, luz, paz, justiça, salvação, alegria, liberdade, sabedoria, virtude, graça, glória e de todo bem em medida inestimável. É por isso que em todo o octonário[5] e em muitas outras passagens o profeta suspira pela Palavra de Deus e a invoca com tantos gemidos e palavras. Por outro lado, não há praga mais cruel da ira de Deus do que quando Ele envia fome de ouvir sua Palavra, como diz em Amós[6], como também não existe maior graça do que quando envia sua palavra, conforme o Sl 106(107),20: "Enviou sua palavra, e os sarou, e os livrou de sua perdição". Também Cristo não foi enviado para outra tarefa do que para [pregar] a Palavra; também o apostolado, o episcopado e toda a ordem clerical para outra coisa não foram chamados e instituídos do que para o ministério da Palavra.

Se, porém, perguntares: "Qual é esta palavra, ou de que maneira se deve usá-la, visto que são tantas as palavras de Deus?", respondo: "O apóstolo explica isso em Rm 1,1s., a saber, o Evangelho de Deus a respeito de seu Filho que se fez carne, sofreu, ressuscitou e foi glorificado pelo Espírito santificador". Que Cristo pregou significa que pastoreou a alma, a justificou, libertou e salvou, se ela creu na pregação.

Pois somente a fé constitui uso salutar e eficaz da Palavra de Deus, [conforme] Rm 10,9:

"Se com tua boca confessares que Jesus é o Senhor, e com teu coração creres que Deus o ressuscitou dentre os mortos, serás salvo". E novamente: "O fim da lei é Cristo, para justiça de todo crente" (Rm 10,4). E Rm 1,17: "O justo vive de sua fé". Pois a Palavra de Deus não pode ser recebida e cultivada por nenhuma obra humana, senão somente pela fé. Por isso, claro que assim como a alma necessita tão somente da Palavra para a vida e a justiça, do mesmo modo ela é justificada somente pela fé, e por nenhuma obra. Pois, se pudesse ser justificada por qualquer outra coisa, ela não necessitaria da Palavra e, consequentemente, também não da fé. Na verdade, de forma alguma tal fé pode subsistir com obras, isto é, se presumes, ao mesmo tempo, ser justificado por obras, quaisquer que sejam. Pois isso significaria claudicar para dois lados[7], adorar a Baal e beijar a mão, o que é iniquidade máxima, como diz Jó[8]. Por isso, quando começas a crer, aprendes simultaneamente que todas as coisas que se encontram em ti mesmo são de todo culpáveis, pecaminosas, condenáveis, de acordo com Rm 3,23: "Todos pecaram e carecem da glória de Deus". E Rm 3,10s.: "Não há justo, não há quem faça o bem, todos se corromperam, juntamente se fizeram inúteis". Uma vez reconhecido isso, saberás que tens necessidade de Cristo, que por ti sofreu e ressuscitou, para que, crendo nele, te tornes outra pessoa, por meio desta fé, recebendo perdão de todos os teus pecados e sendo injustificado por méritos alheios, a saber, somente pelos méritos de Cristo que por ele sofreu e ressuscitou, como ensina Pedro no último capítulo de sua primeira epístola[9]; pois nenhuma outra obra é capaz de fazer um cristão. Como [diz] Cristo em Jo 6,29, quando os judeus perguntaram o que deviam fazer para operar as obras de Deus:

depois de ter rejeitado a multidão de obras das quais os via orgulhar-se, prescreveu-lhes uma só obra, dizendo: "Esta é a obra de Deus: que creias naquele a quem Ele enviou, pois é a este que Deus o Pai marcou com seu selo".

Por isso, a verdadeira fé em Cristo é um tesouro incomparável, trazendo consigo a salvação toda e preservando de todo o mal, como Ele diz no último capítulo de Marcos: "Quem crer e for batizado será salvo; quem não crer será condenado" (16,16). Vendo a este tesouro, predisse Isaías: "O Senhor fará sobre a terra uma palavra breve e consumidora, e a abreviação consumada inundará a justiça" (Is 10,22), como a dizer: "A fé, que é o breve e consumado cumprimento da lei, encherá os crentes de tanta justiça que não necessitarão de qualquer outra coisa para a justiça"; como também diz Paulo em Rm 10,10: "Pois com o coração se crê para a justiça".

Perguntas, porém, por que razão acontece que somente a fé justifica e, sem obras, oferece um tesouro de tantos bens, visto que nas Escrituras nos são prescritas tantas obras, cerimônias e leis. Respondo: Antes de mais nada é preciso ter em mente o que já foi dito: só a fé, sem as obras, justifica, liberta e salva, o que esclareceremos abaixo. Entrementes é preciso assinalar que toda a escritura de Deus está dividida em duas partes: preceitos e promessas. Os preceitos ensinam muita coisa boa, mas as coisas ensinadas não acontecem logo. É que eles mostram o que devemos fazer, mas não dão a força para fazê-lo. São ordenados, porém, para revelar a pessoa a si mesma, para que assim reconheça sua impotência para o bem e desespere de suas próprias forças. Por essa razão são chamados de Antigo Testamento, e também o são. Um exemplo para isso: "Não cobices"[10] é um preceito pelo qual todos nós somos convencidos de que somos pecadores, visto que ninguém consegue deixar de cobiçar. Portanto, para que não cobice, e cumpra o preceito, é obrigado a desesperar de si mesmo e procurar em outro lugar ou por meio de outro o auxílio que não encontra em si próprio, como diz em Oseias: "És tua própria perdição, Israel, e teu auxílio está só em mim" (Os 13,19). E o que acontece com este preceito acontece com os outros: todos eles nos são igualmente impossíveis.

Quando, pois [a pessoa], aprendeu sua impotência por meio dos preceitos e já ficou ansiosa quanto a como satisfazer a lei, visto que é necessário satisfazer a lei, de sorte que nem um jota, nem uma letra sequer se passe[11] (caso contrário [a pessoa] será condenada sem qualquer esperança), então, realmente humilhada e reduzida a nada a seus olhos, não encontra em si mesma aquilo pelo qual possa ser justificada e salva. Nesse ponto se faz presente a outra parte da Escritura – as promissões de Deus, que anunciam a glória de Deus e dizem: "Se queres cumprir a lei, não cobiçar, como exige a lei, crê em Cristo no qual te são prometidas graça, justiça, paz, liberdade, e tudo: se creres, terás; se não creres, ficarás sem". Pois o que te é impossível em todas as obras da lei, que são muitas, e, assim mesmo, inúteis, isso cumprirás de modo fácil e resumido pela fé. Porque Deus-Pai depositou tudo na fé, para que quem tem esta, tenha tudo; quem não tem, não tenha nada. "Pois encerrou todas as coisas sob a incredulidade, para compadecer-se de todos" (Rm 11,32). Assim, as promessas de Deus dão de presente o que os preceitos exigem, e cumprem o que a lei ordena, para que tudo seja exclusivamente de Deus, tanto os preceitos quanto seu cumprimento. Só Ele dá preceitos, só Ele os cumpre; por isso as promessas de Deus fazem parte do Novo Testamento, melhor, são o Novo Testamento.

Como, porém, tais promessas de Deus são palavras santas, verdadeiras, justas, livres, pacíficas e plenas de toda bondade, acontece que a alma que a elas se atém com fé firme será unida a elas de tal modo, ou por elas totalmente absorvida, que não apenas participará mas será saturada e inebriada de toda a força delas. Pois se o tato de Cristo curava, quanto mais esse tenríssimo contato no Espírito, ou melhor, essa absorção da Palavra comunicará à alma tudo que é próprio da Palavra! Desta maneira, portanto, a alma é justificada somente pela fé, sem as obras; a partir da Palavra de Deus, é santificada, tornada verdadeira, pacificada, libertada e repleta de todo bem, e se torna verdadeiramente filha de Deus, como diz Jo 1,12: "Deu-lhes poder de serem feitos filhos de Deus, àqueles que creem em seu nome".

A partir daí é fácil compreender por que a fé é capaz de tão grandes coisas e por que nem todas as obras juntas podem igualar-se a ela; pois nenhuma obra pode prender-se à Palavra de Deus e estar na alma, mas nela reinam somente a fé e a Palavra. Assim como é a Palavra, tal se torna a alma por meio dela, da mesma forma como o ferro candente fica incandescente como o fogo por causa de sua união com o fogo, para que fique claro que à pessoa cristã basta sua fé para tudo, e que não tem necessidade de obras para ser justificada. Se não precisa de obras, também não precisa da lei; se não precisa da lei, é certo que está livre da lei, e é verdade: "Para o justo não foi dada nenhuma lei" (1Tm 1,9). Esta é a liberdade cristã, nossa fé, que não faz que sejamos ociosos ou vivamos mal, mas que ninguém necessite da lei ou de obras para a justiça e a salvação.

Este é o primeiro poder da fé. Agora vejamos também o outro. Pois é igualmente ofício da fé ter aquele em quem crê no mais piedoso e elevado conceito, a saber, tê-lo em conta de veraz e digno, em quem se deve acreditar. Pois não existe honra semelhante ao conceito da veracidade e justiça com que honramos aquele em quem cremos. Poderíamos atribuir algo maior a alguém do que veracidade, justiça e bondade absoluta? E por outra, a maior vergonha é ter alguém em conta ou na suspeita da mentira ou da iniquidade, o que fazemos quando não cremos nele. Assim a alma, quando crê com firmeza no Deus promitente, o tem em conta de veraz e justo, e não se pode atribuir a Deus nada mais honroso do que este conceito. Este é o culto supremo a Deus: atribuir-lhe a verdade, justiça e tudo que se deve tributar àquele em quem se crê. Aqui ela se entrega com disposição a todas as vontades dele, aqui santifica seu nome e aceita que se aja com ela como aprouver a Deus; porque, apegada a suas promessas, não duvida que Ele, o verdadeiro, justo e sábio, fará, disporá e providenciará tudo da melhor maneira. E não é tal alma a mais obediente a Deus em tudo por meio dessa sua fé? Que preceito resta que tal obediência não tenha cumprido com sobra? Que plenitude é mais completa do que a obediência em tudo? A esta, porém, não a produzem as obras, mas somente a fé. Por outro lado, que rebelião, que impiedade, que ofensa contra Deus é maior do que não crer no Promitente? Que outra coisa é isto do que ou fazer Deus de mentiroso ou duvidar que seja veraz? Isto é, atribuir a verdade a si mesmo; a Deus, porém, a mentira e a vaidade? Não se nega a Deus com isso e não se erige a si mesmo como ídolo no coração? Que, pois, valem as obras realizadas nessa impiedade, ainda que sejam angélicas e apostólicas? Deus, portanto, encerrou corretamente tudo não na ira e na libido, mas na incredulidade, para que aqueles que imaginam cumprir a lei com castas e benignas obras da lei (como o são as virtudes políticas e humanas) não presumam serem salvos, visto que, compreendidos no pecado da incredulidade, têm que buscar a misericórdia ou ser condenados pela justiça.

Quando, porém, Deus vê que lhe é atribuída a verdade e que é honrado pela fé de nosso coração com tão grande honra como Ele a merece, também Ele nos honra, atribuindo também a nós a verdade e a justiça por causa dessa fé. Pois a fé faz a verdade e a justiça, devolvendo a Deus o que lhe pertence; por isso, por sua vez, Deus devolve a glória à justiça. Pois é verdadeiro e justo que Deus é veraz e justo; e atribuir-lhe isso e confessá-lo, isso é ser veraz e justo. Assim [diz] 1Rs[12] 2,30: "Qualquer que me honra, eu o glorificarei; os que, porém, me desprezam, serão ignóbeis". Assim diz Paulo em Rm 4,3: a fé de Abraão lhe foi imputada para justiça, porque por meio dela deu plenamente glória a Deus, e que pela mesma razão também a nós [a fé] deverá ser imputada para justiça, se tivermos crido.

A terceira incomparável graça da fé é esta: a alma é copulada com Cristo como a noiva com o noivo, sacramento pelo qual (como ensina o apóstolo) Cristo e alma são feitos uma só carne[13]. Sendo eles uma carne, é consumado entre eles o verdadeiro matrimônio, sim, o mais perfeito de todos, enquanto os matrimônios humanos são figuras tênues desse matrimônio único. Daí se segue que tudo se lhes torna comum, tanto as coisas boas quanto as más, de modo que a alma fiel pode apropriar e gloriar-se de tudo que Cristo possui como sendo seu e de tudo o que tem a alma Cristo se apropria como se fosse seu. Confiramos isso e veremos coisas inestimáveis. Cristo é cheio de graça, vida e salvação; a alma está cheia de pecados, morte e condenação. Intervenha agora a fé, e acontecerá que os pecados, a morte e o inferno se tornam de Cristo; e a graça, vida e salvação são da alma. Pois se Ele é o noivo, tem que, simultaneamente, aceitar o que é da noiva e compartilhar com a noiva o que é seu. Porque, quem lhe dá o corpo e a si próprio, como não lhe daria tudo o que é seu? E quem aceita o corpo da noiva, como não aceitaria tudo o que é da noiva?

Aqui se oferece o mais doce espetáculo não somente da comunhão, mas também da salutar guerra e vitória, da salvação e redenção. Pois como Cristo é Deus e homem e a pessoa que nem pecou, nem morre, nem é condenada, e sequer pode pecar, morrer e ser condenada, e como sua justiça, vida e salvação são insuperáveis, eternas, onipotentes. Como, digo, tal pessoa torna comum a si, ou melhor, torna seus próprios os pecados, a morte e o inferno da noiva, também por causa da aliança da fé, e neles não se comporta de outra maneira do que se fossem seus próprios e como se Ele mesmo tivesse pecado, atribulando-se, morrendo e descendo ao inferno, para que tudo superasse, e pecado, morte e inferno não o pudessem devorar, necessariamente estão devorados nele em duelo estupendo. Pois sua justiça é superior ao pecado de todos, sua vida é mais potente do que qualquer morte, sua salvação invencível demais a todo inferno. Assim, a alma do crente se torna livre de todos os pecados pelas arras de sua fé em Cristo, seu noivo, segura contra a morte e protegida do inferno, presenteada com eterna justiça, vida, salvação de seu noivo Cristo. Assim apresenta a si uma noiva sem mácula nem ruga, gloriosa, purificando-a pelo banho na palavra da vida[14], isto é, pela fé na Palavra, na vida, na justiça e na salvação. Dessa maneira, noiva com ela em fé, em misericórdia e atos de compaixão, em justiça e juízo, como diz Oseias 2,19s.

Quem, portanto, estimará suficientemente a tais núpcias reais? Quem será capaz de compreender as riquezas da glória dessa graça? Quando o rico e piedoso noivo Cristo toma por noiva essa meretrícula pobrezinha e ímpia, redimindo-a de todos os seus males e ordenando-a com todos os seus bens, já não é mais possível que seus pecados a levem à perdição, visto que estão colocados sobre Cristo e absorvidos nele. Ela própria tem essa justiça em Cristo, seu noivo, da qual deve usufruir como de sua própria, podendo opô-la a todos os seus pecados, contra a morte e o inferno, em confiança, e dizer: "Se eu pequei, não pecou, todavia, meu Cristo, em quem creio; tudo o que é dele é meu e tudo o que é meu é dele". Segundo Cantares [Cântico dos Cânticos]: "O meu amado é meu e eu sou dele" (2,16). É isso que diz Paulo em 1Cor 15,57: "Graças a Deus que nos deu a vitória por Jesus Cristo, nosso Senhor", a vitória sobre o pecado e a morte, como indica ali: "O pecado é o aguilhão da morte, mas a força do pecado é a lei" (1Cor 15,56).

A partir daí novamente entendes por que razão se dá tanto valor à fé, que só ela cumpre a lei e justifica sem quaisquer obras. Pois vês que o primeiro mandamento, que diz: "Adorarás [somente] ao único Deus"[15], é cumprido exclusivamente pela fé. Pois se tu mesmo outra coisa não fosses do que boas obras dos pés à cabeça, assim mesmo não serias justo, nem adorarias a Deus, nem cumpririas o primeiro mandamento, visto que Deus não pode ser adorado a não ser que se lhe tribute a glória da verdade e de toda a bondade, como de fato lhe deve ser tributada; isso, porém, não o fazem as obras, mas somente a fé do coração. Pois não é obrando que glorificamos a Deus e o confessamos veraz, mas crendo. Por isso, somente a fé é a justiça da pessoa cristã e cumprimento de todos os mandamentos. Pois quem cumpre o primeiro, cumpre com facilidade todos os demais. As obras, porém, sendo coisas insensatas[16], não podem glorificar a Deus, ainda que possam ser feitas para a glória de Deus (se existe fé). Neste momento, porém, não buscamos as coisas que são feitas, quais sejam, as obras, mas àquele que faz, que glorifica e produz as obras. Esta é a fé do coração, cabeça e substância de toda a nossa justiça. De sorte que é doutrina obscura e perigosa aquela que ensina que os mandamentos são cumpridos pelas obras, visto que a lei tem que estar cumprida antes de todas as obras, e as obras seguem o cumprimento, como ouviremos.

No entanto, para vermos de modo mais amplo esta graça que aquela nossa pessoa interior tem em Cristo, é preciso saber que no Antigo Testamento Deus santificou para si todo primogênito masculino[17]. A primogenitura era tida em alta consideração, tendo dois privilégios sobre os demais: o sacerdócio e o reinado. Pois o irmão primogênito era sacerdote e senhor de todos os outros, figura na qual é prefigurado o Cristo, verdadeiro e único primogênito do Pai e da virgem Maria, verdadeiro rei e sacerdote, não segundo a carne e a terra, pois seu reino não é deste mundo[18]. Ele reina e consagra em assuntos celestiais e espirituais, quais sejam: justiça, verdade, sabedoria, paz, salvação etc. Não que todas as coisas terrenas e subterrenas não lhe fossem sujeitas também. (De outro modo, como poderia proteger e salvar-nos delas?) Mas seu reinado não consiste nelas ou delas. Assim também seu sacerdócio não consiste na pompa externa das vestimentas e gestos, como foi aquele sacerdócio humano de Arão e hoje [o é] nosso sacerdócio eclesiástico; ele consiste em coisas espirituais, através das quais interpela por nós no céu perante Deus, por meio de um ministério invisível, oferecendo-se aí a si mesmo e fazendo tudo o que um sacerdote deve fazer, como o descreve Paulo aos hebreus a partir da figura de Melquisedec[19]. Não apenas ora por nós e interpela, mas também nos ensina interiormente no espírito pelas vivas doutrinas do seu Espírito, duas coisas que são ministérios próprios de um sacerdote; nos sacerdotes carnais isto é figurado pelas preces e pregações visíveis.

Como, porém. Cristo obteve essas duas dignidades por meio de sua primogenitura, assim as compartilha e comunica a qualquer de seus fiéis, segundo o direito do matrimônio anteriormente referido, de acordo com o qual é da noiva tudo o que é do noivo. A partir disso, em Cristo somos todos sacerdotes e reis os que cremos em Cristo, como diz 1Pd 2,9: "Vós sois geração eleita, povo adquirido, sacerdócio régio e reino sacerdotal, para narrar as virtudes daquele que vos chamou das trevas para sua maravilhosa luz". Essas duas coisas se relacionam da seguinte forma: no que diz respeito ao reinado, qualquer cristão é tão elevado acima de todas as coisas por meio da fé, que se torna senhor de tudo pelo poder espiritual, de tal forma que nada lhe pode causar dano algum; sim, todas as coisas lhe estão sujeitas e são obrigadas a servir para sua salvação. Assim diz Paulo em Rm 8,28: "Para os eleitos todas as coisas cooperam para o bem". Igualmente em 1Cor 3,22s.: "Tudo é vosso, seja morte, seja vida, coisas do presente ou futuras; vós, porém, sois de Cristo". Não que algum cristão esteja constituído acima de todas as coisas por poder corporal, para possuir e manipulá-las – loucura da qual padecem certos eclesiásticos em toda parte (pois isso cabe aos reis, príncipes e seres humanos na terra) –, pois vemos na própria experiência da vida que estamos sujeitos a todas as coisas, que sofremos muito e inclusive morremos: sim, quanto mais cristão alguém é, a tanto mais males, sofrimentos e mortes está sujeito, como vemos no próprio príncipe primogênito Cristo e em todos os seus santos irmãos. Este poder é espiritual, que domina em meio aos inimigos e é potente em meio às opressões. Isso não é outra coisa do que: o poder é aperfeiçoado na fraqueza[20], e em tudo posso tirar proveito para a salvação, de sorte que também cruz e morte são obrigadas a servir-me e cooperar para a salvação. Essa é uma dignidade árdua e insigne e um verdadeiro poder onipotente, um império espiritual no qual nenhuma coisa é tão boa, nenhuma tão ruim que não cooperasse para meu bem, desde que eu creia. Não obstante, visto que a fé sozinha basta para a salvação, não tenho necessidade de coisa alguma, a não ser que a fé exerça nela o poder e o império de sua liberdade. Eis aqui o inestimável poder e liberdade dos cristãos.

E não somos apenas os mais livres reis, mas também sacerdotes em eternidade, o que é bem mais excelente do que ser rei, porque por meio do sacerdócio somos dignos de comparecer perante Deus, orar por outros e ensinar-nos mutuamente sobre as coisas de Deus. Pois estes são ofícios dos sacerdotes, que de forma alguma podem ser conferidos a algum descrente. Assim Cristo no-lo conseguiu, se nele cremos, para que, como coirmãos, coerdeiros e correis, também sejamos seus cossacerdotes, ousando aparecer perante Deus em confiança e pelo espírito da fé, e clamar "Abba, Pai"[21], orar um pelo outro e fazer tudo o que vemos o ofício visível e corporal dos sacerdotes fazer e figurar. A quem, todavia, não crê, a este nada serve ou coopera para o bem; antes, é servo de tudo, e todas as coisas lhe vêm para o mal, porque faz uso de todas as coisas de modo ímpio, para seu próprio proveito, não para a glória de Deus. Assim ele também não é sacerdote, mas profano, cuja oração se transforma em pecado e jamais chega perante Deus, porque Deus não atende os pecadores[22]. Quem, pois, é capaz de entender a altura da dignidade cristã, que por seu poder régio domina todas as coisas: a morte, a vida, o pecado etc., que pela glória sacerdotal pode tudo junto a Deus, porque Deus faz o que ela pede e deseja, como está escrito: "Ele[23] fará a vontade dos que o temem, e atenderá sua prece, e os salvará?" (Sl 145,19). A esta glória com certeza ele chega por nenhuma obra, mas somente pela fé.

Disso cada qual pode ver com clareza de que modo o cristão é livre de todas as coisas e está acima de todas as coisas, de modo que não precisa de nenhuma obra para ser justo e salvo, mas a fé sozinha lhe presenteia tudo isso em abundância. Mas se fosse tão tolo que presumisse ser justo, livre, salvo, cristão por alguma boa obra, imediatamente perderia a fé com todos os bens, estultícia esta muito bem descrita naquela fábula[24] do cachorro que, passando pela água com um naco de carne verdadeira na boca, é enganado pela imagem da carne refletida na água e, ao querer abocanhar a esta de boca aberta, perde simultaneamente a carne verdadeira com a imagem.

Aqui perguntas: "Se todos os que estão na Igreja são sacerdotes, em que sentido se distinguem dos leigos aqueles que agora chamamos de sacerdotes?" Respondo: Foi feita injustiça a estes vocábulos: "sacerdote", "clérigo", "espiritual", "eclesiástico", porquanto foram transferidos de todos os demais cristãos para aqueles poucos que agora, por uso prejudicial, são chamados de eclesiástico. Pois a Escritura Sagrada não faz nenhuma diferença entre eles, a não ser que chama de ministros, servos, administradores àqueles que agora se jactam de papas, bispos e senhores, que devem servir aos outros com o ministério da Palavra, para que seja ensinada a fé em Cristo e a liberdade dos fiéis. Pois ainda que seja verdade que todos somos sacerdotes de igual modo, mesmo assim não podemos todos servir e ensinar publicamente, nem o devemos, ainda que pudéssemos. Assim diz Paulo em 1Cor 4,1: "Assim a pessoa nos tenha em conta de ministros de Cristo e admiradores dos mistérios de Deus".

Agora, porém, essa administração virou tal pompa de poder e terrível tirania que nenhum poder dos gentios nem do mundo lhe pode ser comparado, como se os leigos fossem algo diferente de cristãos. Esta perversidade fez com que se perdesse totalmente o conhecimento da graça, fé, liberdade cristã e de todo o Cristo, e seu lugar foi ocupado por obras e leis humanas num cativeiro intolerável. De acordo com as Lamentações de Jeremias[25], somos feitos servos das pessoas mais vis que há na terra, que se aproveitam de nossa miséria para [cometer] toda sorte de torpezas e ignomínias de sua vontade.

Voltando àquilo pelo qual começamos, creio que por meio disso se evidencia que não é suficiente nem cristão pregar as obras, vida e palavras de Cristo no sentido histórico ou como fatos acontecidos, cujo conhecimento seria suficiente como exemplo da vida a ser concretizada – e esta é a maneira de pregar daqueles que hoje são os primeiros. Muito menos é suficiente e cristão quando se silencia totalmente [a respeito de Cristo] e ensinam, em seu lugar, leis humanas e decretos dos pais. Já agora não são poucos os que pregam a Cristo e o leem com a intenção de comover os sentimentos humanos a terem condolência com Cristo, para indignar os judeus e outras pueris e afeminadas tolices dessa espécie. No entanto é necessário pregar com o objetivo de que seja promovida a fé nele, para que Ele não seja apenas o Cristo, mas seja o Cristo para ti e para mim, e opere em nós o que dele se diz e como Ele é denominado. Esta fé, porém, nasce e é preservada quando é pregado por que Cristo veio, o que trouxe e concedeu, com que proveito e gozo Ele deve ser aceito. Isso acontece onde é ensinada corretamente a liberdade cristã que dele temos, e por que razão todos os cristãos somos reis e sacerdotes, no que somos senhores de tudo, e confiamos que tudo que fazemos é agradável e aceito perante Deus, como disse até aqui.

Qual é o coração que não se alegrará até o íntimo e não se enternecerá no amor a Cristo por tanto consolo recebido, ao ouvir isso? A tal amor ele jamais pode chegar através de quaisquer obras ou leis. Quem poderá causar dano a tal coração ou assustá-lo? Se irromper a consciência do pecado ou o horror da morte [a pessoa], está preparada para esperar no Senhor, e não teme estas más notícias nem se deixa comover, até que olhe seus inimigos com desprezo[26]. Pois crê que a justiça de Cristo é sua, e que o pecado já não é seu, mas de Cristo. Em face da justiça de Cristo todo pecado tem que ser absorvido por causa da fé em Cristo, como está dito acima. E com o apóstolo ela aprende a insultar a morte e o pecado, e dizer: "Onde está, ó morte, a tua vitória? Onde está, ó morte, o teu aguilhão? O aguilhão da morte é o pecado, e a força do pecado é a lei. Graças a Deus, porém, que nos deu a vitória por Jesus Cristo, nosso Senhor" (1Cor 15,55s.). Pois a morte está absorvida na vitória, não só na de Cristo, mas também na nossa, porque pela fé ela se torna nossa e porque nela também nós vencemos.

Seja isso dito a respeito da pessoa interior, de sua liberdade e da justiça-mor da fé, que não necessita nem de leis nem de boas obras. Sim, estas lhe são prejudiciais se se presumir ser justificado por meio delas.

Voltemo-nos agora à *segunda parte – à pessoa exterior*. Pois aqui se responderá a todos aqueles que, ofendidos pela palavra da fé e pelo que foi dito, dizem: "Se a fé faz tudo e ela sozinha basta para a justiça, por que foram ordenadas boas obras? Entreguemo-nos à preguiça e nada façamos, satisfeitos com a fé". Eu respondo: não, seus ímpios, assim não! As coisas, na verdade, seriam assim se fôssemos total e perfeitamente interiores e espirituais, o que não acontece, a não ser no dia derradeiro da ressurreição dos mortos. Enquanto vivemos na carne, apenas começamos, e progredimos no que será levado à perfeição na vida futura, razão por que em Rm 8,23 o apóstolo chama de primícias do Espírito o que temos nesta vida, ficando por receber os dízimos e a plenitude do Espírito no futuro. Por isso é este o momento de dizer o que foi afirmado acima: o cristão é servo de tudo e a todos sujeito. Pois, na medida em que é livre, ele nada opera; na medida, porém, em que é servo, opera tudo; veremos por que razão isso é assim.

Ainda que a pessoa (como disse) seja suficientemente justificada interiormente, segundo o Espírito, por meio da fé, tendo tudo o que precisa ter, a não ser que esta mesma fé e opulência tenham que crescer dia a dia, até a vida futura... ainda assim a pessoa permanece nesta vida mortal sobre a terra, na qual é necessário que ela governe seu próprio corpo e lide com pessoas. Aqui, agora começam as obras; aqui não se deve ficar ocioso; aqui por certo há que se cuidar para que o corpo seja exercitado com jejuns, vigílias, trabalhos e outras disciplinas moderadas, e seja subordinado ao Espírito, para que obedeça e seja conforme à pessoa interior e à fé, não se rebele contra ela ou a impeça, como é de sua índole, quando não coibida. Pois a pessoa interior é conforme a Deus e criada à imagem de Deus por meio da fé, alegra-se e tem prazer por causa de Cristo, no qual lhe foram concedidos tantos bens, razão por que tem uma só preocupação: servir a Deus com alegria e gratuitamente, em livre amor.

Enquanto faz isso, eis que depara em sua própria carne com uma vontade contrária, que se esforça por servir ao mundo e buscar o que é seu. Isto o espírito da fé não pode nem quer suportar, e a[27] agride com alegre iniciativa, para reprimir e coibi-la, como diz Paulo em Rm 7,22s.: "Segundo a pessoa interior, deleito-me com a lei de Deus. Vejo, porém, em meus membros outra lei que guerreia contra a lei de minha mente e me cativa na lei do pecado". E em outra parte: "Castigo meu corpo e o reduzo à escravidão, para não acontecer que, pregando a outros, eu próprio me torne reprovável" (1Cor 9,27). E Gl 5,24: "Os que são de Cristo crucificaram sua carne com suas concupiscências".

Essas obras, porém, não devem ser feitas na opinião de que por elas alguém fosse justificado perante Deus – pois a fé, que sozinha é a justiça perante Deus, não suporta essa opinião falsa. Elas devem ser feitas apenas com a intenção de levar o corpo à servidão e purificá-lo de suas más concupiscências, de maneira que o olhar se volte tão somente para as concupiscências a serem expurgadas. Visto que a alma é purificada pela fé e levada a amar a Deus, ela quer que tudo seja purificado de igual modo, precipuamente o próprio corpo, para que com ela tudo ame e louve a Deus. Assim acontece que a pessoa, por causa da exigência de seu corpo, não pode ficar ociosa, e por causa dele é obrigada a obrar muitas coisas boas, para submetê-lo à servidão. Mesmo assim, as obras não são aquilo pelo qual [a pessoa] é justificada perante Deus, mas ela as faz por amor gratuito em obséquio de Deus, nada objetivando senão o beneplácito divino, ao qual gostaria de obsequiar em tudo da forma mais oficiosa.

Por isso cada um pode concluir com facilidade em que medida ou discrição (como dizem) deve castigar seu corpo: jejuará, vigiará e trabalhará tanto quanto julgar suficiente para reprimir a lascívia e a concupiscência do corpo. Os que, porém, presumem ser justificados pelas obras dão valor não à mortificação das concupiscências, mas unicamente às próprias obras, pensando que se fizessem o mais possível e as maiores, estariam bem e se teriam tornado justos, inclusive lesando, às vezes, o cérebro e destruindo a natureza, ou, ao menos, tornando-a inútil. É uma enorme insensatez e ignorância da vida e fé cristã querer ser justificado e salvar-se sem a fé, pelas obras.

Para melhor compreensão do que dissemos, queremos explaná-lo por comparações. As obras de uma pessoa cristã, justificada e salva por sua fé por mera e gratuita misericórdia de Deus, não devem ocupar outra posição do que teriam tido as obras de Adão e Eva no paraíso e de todos os filhos, se não tivessem pecado, a respeito dos quais Gn 2,15 diz o seguinte: "Colocou Deus o ser humano, ao qual formara, no paraíso para que o trabalhasse e dele cuidasse". Ora, Adão fora criado por Deus justo e reto, e sem pecado, de modo que não tinha necessidade de se tornar justo e reto por seu trabalho e cuidado; no entanto, para não andar ocioso, Deus lhe deu a tarefa de cultivar e guardar o paraíso, o que teriam sido obras verdadeiramente libérrimas, feitas por nenhuma outra razão a não ser para o beneplácito de Deus, não para obter a justiça, a qual já tinha plenamente e que também teria sido congênita a todos nós.

Assim [são] também as obras de uma pessoa crente que, por sua fé, é recolocada no paraíso e criada de novo, não necessitando de obras para tornar-se justa ou ser justa; no entanto, para que não ande ociosa, e trabalhe e conserve seu corpo, ela tem que fazer tais obras livres, com o único intuito de agradar a Deus, apenas porque ainda não somos plenamente recriados em perfeita fé e amor, que devem crescer, mas por si mesmas, e não por obras.

Outro exemplo: o bispo consagrado, quando consagra um templo, confirma crianças ou faz qualquer outra coisa de seu ofício, não é sagrado bispo por essas mesmas obras; sim, se não fosse antes consagrado bispo, nenhuma dessas obras teria valor, mas seriam estultas, pueris e farsistas. Assim o cristão, consagrado por sua fé, faz boas obras, mas por meio delas não se torna mais consagrado ou cristão, pois isso é assunto exclusivo da fé, sim; se não cresce primeiro e fosse cristão, todas as suas obras valeriam absolutamente nada, mas seriam pecados verdadeiramente ímpios e condenáveis.

Por isso são verdadeiros estes dois provérbios: "As boas obras não fazem o homem bom, mas o homem bom faz boas obras". "As más obras não fazem o homem mau, mas o homem mau faz obras más". De sorte que sempre é necessário que a própria substância ou pessoa seja boa antes de todas as obras boas, e que as obras boas procedam e provenham da pessoa boa. Como também diz Cristo: "A árvore má não produz frutas boas, a árvore boa não produz más frutas" (Mt 7,18). Claro está que as frutas não carregam a árvore e nem a árvore cresce nas frutas; pelo contrário, as árvores carregam as frutas, e as frutas crescem nas árvores. Tal como, pois, é necessário que as árvores existam antes de suas frutas, e as frutas não fazem as árvores nem boas nem más, mas, pelo contrário, como as árvores, tais as frutas; assim é necessário que primeiro a própria pessoa humana seja ou boa ou má antes que faça uma obra boa ou má, e suas obras não a fazem boa ou má, mas ela mesma faz suas obras ou boas ou más.

Coisa semelhante se pode observar em todos os ofícios. Uma casa boa ou má não faz o carpinteiro bom ou mau, mas o carpinteiro bom ou mau faz a casa boa ou má. Em geral nenhuma obra faz o artífice tal qual ela é, mas o artífice faz a obra tal qual ele é. O mesmo acontece com as obras das pessoas: tal qual ela é, seja na fé, seja na descrença, assim também é sua obra – boa, quando feita na fé; má, quando feita na incredulidade. Isso, porém, não se pode inverter, de modo que, tal qual a obra, será também a pessoa na fé ou na descrença. Pois assim como as obras não fazem o fiel, também não fazem o justo. A fé, todavia, assim como faz o fiel e o justo, também faz as boas obras. Visto, portanto, que as obras não justificam a ninguém, e visto que é necessário que a pessoa seja justa antes que faça o bem, está manifestíssimo que é a fé sozinha que, por mera misericórdia de Deus, por meio de Cristo, em sua palavra, justifica e salva a pessoa de modo digno e suficiente, e que para a salvação não há necessidade de nenhuma obra, de nenhuma lei para a pessoa cristã, uma vez que pela fé está livre de toda lei e faz tudo por mera liberdade, gratuitamente, qualquer coisa que faça, não buscando seu proveito ou salvação – uma vez que já está satisfeita e salva pela graça de Deus a partir de sua fé –, mas somente o beneplácito de Deus.

Da mesma forma, também ao incrédulo nenhuma boa obra tem valor para a justiça e a salvação. E vice-versa, nenhuma obra má faz dele uma pessoa má ou condenada, e sim a incredulidade, que torna a pessoa e a árvore más, faz obras más e condenadas. Quando, pois, alguém se torna bom ou mau, isso não começa nas obras, mas na fé ou na incredulidade, como diz o sábio: "Início do pecado é afastar-se de Deus" (Eclo 10,12), isto é, não crer. E Paulo em Hb 11,6: "É necessário que aquele que se aproxima creia". E Cristo também diz: "Ou fazei boa árvore, e boas as frutas, ou fazei má árvore, e más as frutas" (Mt 12,33), como se dissesse: "Quem quer ter frutas boas, comece pela árvore boa e plante uma boa". Assim, quem quer obrar coisas boas, não comece pelo obrar, mas pelo crer, o que faz boa a pessoa. Porque só a fé faz a pessoa boa, e só a incredulidade a faz má.

De fato é verdade que perante as pessoas a gente se torna bom ou mau pelas obras. Esse "tornar-se", porém, significa revelar-se ou ser reconhecido como quem é bom ou mau, como diz Cristo em Mt 7,20: "Pelos seus frutos os conhecereis". Isso tudo, porém, fica na aparência e no exterior, matéria na qual se enganam muitos que ousam escrever e ensinar sobre as boas obras pelas quais seríamos justificados, enquanto nem sequer se lembram da fé, trilhando seus caminhos, enganados e enganando sempre[28], indo de mal a pior, cegos guias cegos[29], fatigando-se em muitas obras e, assim mesmo, jamais alcançando a verdadeira justiça. A respeito deles São Paulo diz em 2Tm 3,5.7: "Tendo aparência de piedade, negando-lhe, porém, o poder. [...] Sempre aprendendo, e jamais alcançando o conhecimento da verdade".

Quem, portanto, não quer errar com esses cegos, tem que olhar para além das obras, leis ou doutrinas de obras. Sim, tem que desviar o olhar das obras e voltá-lo para a pessoa e por que razão ela é justificada. A pessoa, porém, não é justificada e salva por obras nem por leis, mas pela Palavra de Deus (isto é, pela promissão de sua graça), para que permaneça a glória da majestade divina, que não nos salvou por obras da justiça que nós fizemos, mas de acordo com sua misericórdia, por meio da palavra de sua graça, quando cremos.

A partir disso é fácil reconhecer por que razão as boas obras devem ser rejeitadas ou aceitas, e segundo que regra se devem entender todas as doutrinas ensinadas sobre as obras. Pois se as obras são comparadas à justiça e são feitas no perverso leviatã[30] e na falsa convicção de se presumir ser justificado por elas, já impõem uma obrigação e eliminam a liberdade juntamente com a fé. E justamente nesse acréscimo elas já não são boas, mas verdadeiramente condenáveis, pois não são livres e blasfemam contra a graça de Deus, a quem exclusivamente compete justificar e salvar pela fé. As obras não têm poder para tanto, e assim mesmo, em ímpia presunção, pretendem fazê-lo por essa nossa estultícia, e assim interferem violentamente no ofício da graça e da glória dele. Portanto, não rejeitamos boas obras; ao contrário, as aceitamos e ensinamos ao máximo. Condenamo-las não por si próprias, mas por causa desse ímpio acréscimo e convicção perversa da aquisição da Justiça[31], que tem por consequência que elas pareçam boas só na aparência, enquanto, na realidade, não são boas. Por meio delas eles são enganados e enganam como lobos roubadores travestidos de ovelhas[32].

Esse leviatã e convicção perversa a respeito das obras, porém, é invencível onde falta a fé sincera; pois ele[33] não pode ficar afastado daqueles santarrões de obras antes que a fé venha como sua devastadora e reine no coração. Por si mesma a natureza não o pode expelir, sim, nem mesmo reconhecê-lo, mas inclusive o considera como a santíssima vontade. Se então ainda acresce o hábito e corrobora essa depravação da natureza (como foi feito por mestres ímpios), o mal é incurável, seduz e leva à perdição a inúmeros, de forma irrecuperável. Por isso, ainda que seja bom pregar e escrever acerca da penitência, confissão e satisfação, sem dúvida as doutrinas são enganadoras e diabólicas quando se fica parado nisto e não se avança até o ensino da fé. Pois Cristo, juntamente com o amado João, não apenas disse: "Fazei penitência", mas acrescentou a palavra da fé, ao dizer: "pois o reino dos céus se aproxima" (Mt 4,17).

Pois é preciso pregar ambas as palavras de Deus e não apenas uma, tirar do tesouro coisas novas e velhas[34], tanto a voz da lei quanto a palavra da graça. É necessário proferir a voz da lei para que se assustem e sejam conduzidos ao conhecimento de seus pecados, e a partir daí se convertam à penitência e a uma melhor conduta de vida. Mas não se deve parar aqui, pois isso seria somente vulnerar e não ligar, ferir e não sarar, matar e não vivificar, levar ao inferno e não retirar, humilhar e não exaltar. Por isso devem ser pregadas tanto a palavra da graça quanto a da remissão prometida para ensino e erguimento da fé, sem o que lei, contrição, penitência e tudo o mais acontecem e são pregadas em vão.

Existem até hoje pregadores da penitência e da graça, mas eles não explicam a lei e a promissão de Deus com o fim e no espírito de se poder aprender de onde vem a penitência e a graça. Pois a penitência provém da lei de Deus, mas a fé ou a graça provém da promissão de Deus, conforme diz Rm 10,17: "A fé vem do ouvir, o ouvir, porém, pela palavra de Cristo". Daí decorre que é consolada e exaltada pela fé na divina promissão a pessoa que foi humilhada pelas ameaças e pelo temor da lei divina, e levada ao conhecimento de si mesma, como diz o

Sl 29(30),6: "O choro perdurará até a véspera, e a alegria até a manhã".

Seja dito isso a respeito das obras em geral e, ao mesmo tempo, a respeito daquelas que o cristão faz a seu próprio corpo. Por fim queremos falar também daquelas que ele faz a seu próximo. Pois a pessoa não vive somente para si mesma neste corpo mortal, para operar nele, mas também para todas as pessoas na terra. Sim, ela vive somente para os outros, e não para si. Pois para isso sujeita seu corpo, para assim poder servir a outros com mais sinceridade e liberdade, como diz Paulo em Rm 14,7s.: "Ninguém vive para si, nem morre para si; pois quem vive, vive para o Senhor, e quem morre, morre para o Senhor". Por isso não pode acontecer que ela seja ociosa nesta vida e sem obra a favor de seus próximos. Pois é necessário que fale com as pessoas, aja e lide com elas, como também Cristo, feito em semelhança de pessoa humana[35]: foi encontrado segundo a aparência como pessoa humana, e se envolveu com as pessoas, conforme Br 3,38.

Nada disso, porém, lhe é necessário para a justiça e a salvação. Por isso a pessoa deve, em todas as suas obras, estar orientada por esta ideia e visar somente a isto: servir a outros e ser-lhes útil em tudo o que faz, nada tendo em vista senão a necessidade e a vantagem do próximo. Pois assim nos ordena o apóstolo: que trabalhemos com as mãos, para disso dar ao que tem necessidade[36], quando poderia ter dito: para com isso nos alimentarmos a nós mesmos. Ele, porém, diz: "Para dar ao que tem necessidade". E nesse mesmo sentido também é cristão cuidar do corpo, para que, por meio de seu vigor e bem-estar, possamos trabalhar, adquirir bens e preservá-los para subsídio daqueles que têm carência, para que assim o membro robusto sirva ao membro fraco, e sejamos filhos de Deus, um preocupado e trabalhando pelo outro, carregando os fardos uns dos outros e assim cumprindo a lei de Cristo[37]. Esta é a verdadeira vida cristã. Aqui, de fato, a fé atua pelo amor[38], isto é, entrega-se com alegria e amor à obra da servidão libérrima, com a qual serve ao outro gratuita e espontaneamente, enquanto ela própria está abundantemente satisfeita com a plenitude e a opulência de sua fé.

Assim, tendo Paulo ensinado os filipenses quão ricos se haviam tornado pela fé em Cristo, na qual haviam obtido tudo, continua a ensiná-los, dizendo: "Se há alguma consolação de Cristo, se há alguma consolação do amor, se há alguma comunhão do Espírito, completai minha alegria, tendo o mesmo pensamento e o mesmo amor, unânimes, com os mesmos sentimentos, nada [fazendo] por contenção nem por vanglória, mas considerando superiores uns aos outros em humildade, cada qual não considerando o que é seu, mas o que é dos outros" (Fl 2,1-4). Aqui vemos com clareza que a vida dos cristãos foi colocada nessa regra pelo apóstolo, para que todas as nossas obras se orientem para a vantagem dos outros, visto que, por sua fé, cada qual tem tal abundância que todas as demais obras e toda a sua vida lhe sobram, para por elas servir e beneficiar o próximo em benevolência espontânea.

Para tanto cita Cristo como exemplo, dizendo: "Tende em vós o sentimento que houve também em Cristo Jesus, o qual, ainda que estando em forma de Deus, não considerou roubo ser igual a Deus, mas exinaniu-se a si mesmo, assumindo forma de servo, foi feito em semelhança das pessoas e, quanto à aparência, foi encontrado como pessoa humana, e foi feito obediente até a morte" (Fl 2,5-8). Essa salubérrima palavra do apóstolo obscureceu aqueles que não entenderam absolutamente os vocábulos apostólicos "forma de Deus", "forma de servo", "aparência", "semelhança das pessoas", e as aplicaram às naturezas da divindade e da humanidade, ao passo que Paulo quer dizer o seguinte: ainda que pleno da forma de Deus e abundando de todos os bens, de modo que não necessitou de nenhuma obra nem sofrimento para se tornar justo e salvo (pois tinha tudo isso imediatamente, desde o início). Cristo não se ensoberbeceu com isso, não se elevou acima de nós e não se arrogou algum poder sobre nós, ainda que, por direito, o pudesse ter feito; pelo contrário, agiu, operou, sofreu, morreu de tal maneira que ficou semelhante às demais pessoas, não diferente de uma pessoa humana na aparência e no gesto, como se necessitasse de tudo isso e nada tivesse das formas de Deus. Ainda assim fez tudo isso por nossa causa, para nos servir e para que se tornasse nosso tudo o que Ele realizou nesta forma de servo.

Assim o cristão, pleno e satisfeito por sua fé, da mesma forma como seu cabeça. Cristo, deve estar contente com tal forma de Deus obtida pela fé, exceto que (como disse) deve aumentar essa mesma fé, até que chegue à perfeição: pois esta é sua vida, justiça e salvação, preservando a própria pessoa, tornando-a grata e lhe atribuindo tudo que Cristo tem, como está dito acima e Paulo confirma em Gl 2,20, dizendo: "O que, porém, vivo na carne, vivo na fé no Filho de Deus". E ainda que seja, dessa forma, livre de todas as obras, deve, por outro lado, exinanir-se disso em liberdade, assumir forma de servo, tornar-se em semelhança de pessoa humana e, pela aparência, ser encontrado como pessoa, e servir, ajudar e agir com seu próximo de todos os modos conforme vê que se agiu com ele por parte de Deus por meio de Cristo, e isso gratuitamente, sem nenhuma consideração que não o beneplácito divino. E deve pensar assim: "Eis que em Cristo meu Deus deu a mim, homúnculo indigno e condenado, sem nenhum mérito, por mera e gratuita misericórdia, todas as riquezas da justiça e da salvação, de sorte que além disso não necessito absolutamente de mais nada a não ser da fé que crê que as coisas são de fato assim. Portanto, como não faria a este Pai, que me cobriu com suas inestimáveis riquezas, livre e alegremente, de todo o coração e com dedicação espontânea, tudo que sei ser agradável e grato perante Ele? Assim me porei à disposição de meu próximo como um Cristo, do mesmo modo como Cristo se ofereceu a mim, nada me propondo a fazer nesta vida a não ser o que vejo ser necessário, vantajoso e salutar a meu próximo, visto que, pela fé, tenho abundância de todos os bens em Cristo".

Eis que assim flui da fé o amor e a alegria no Senhor, e do amor, um ânimo alegre, solícito, livre para servir espontaneamente ao próximo, de sorte que não calcule com gratidão ou ingratidão, louvor ou vitupério, lucro ou dano. Pois não faz isso para conquistar pessoas para si, nem distingue entre amigos e inimigos, nem suspeita de gratos e ingratos; mas distribui com total liberdade e solicitude a si mesmo e o que é seu, quer desperdice tudo com os ingratos, quer colha reconhecimento. Assim procede também seu Pai, distribuindo tudo entre todos com abundância e com a máxima liberalidade, fazendo seu sol nascer sobre bons e maus[39].

Assim também procede e sofre o filho em alegria gratuita, com que se alegra, por meio de Cristo, em Deus, o doador de tão grandes dádivas.

Vês, portanto: se reconhecemos as grandes e preciosas coisas que nos são dadas, como diz Paulo[40], logo se difunde, por meio do Espírito, em nossos corações o amor, pelo qual somos obradores livres, alegres, onipotentes e vitoriosos sobre todas as tribulações, servos dos próximos, e assim mesmo senhores de tudo. Os que, porém, não reconhecem o que lhes é dado através de Cristo, para estes Cristo nasceu em vão, estes vivem pelas obras, sem jamais chegar ao gosto e à percepção daquelas coisas. Assim como nosso próximo tem necessidade e precisa de nossa abundância, da mesma maneira também nós temos necessidade perante Deus e precisamos de sua misericórdia. Por isso, tal qual o Pai celeste nos auxiliou gratuitamente em Cristo, devemos também nós auxiliar a nosso próximo gratuitamente pelo corpo e suas obras, e cada qual tornar-se para o outro como que um "cristo", para que sejamos cristos um para o outro, e o próprio Cristo esteja em todos, isto é, para que sejamos verdadeiros cristãos.

Quem, pois, será capaz de compreender as riquezas e a glória da vida cristã? que tudo pode e tem e de nada necessita, senhora do pecado, da morte e do inferno, e, ao mesmo tempo, serva de todos, obsequiosa e útil? Mas que, para pesar nosso, é hoje ignorada em todo mundo, não é nem pregada nem procurada, a tal ponto que desconhecemos totalmente nosso próprio nome, só porque somos e nos chamamos cristãos. Sem dúvida temos este nome de Cristo, não do Cristo ausente, mas do Cristo que habita em nós, isto é, quando cremos nele e, por outro lado, somos mutuamente um Cristo um para o outro, fazendo aos próximos o mesmo que Cristo fez a nós. Hoje, porém, não se nos ensina outra coisa por meio das doutrinas humanas senão procurar méritos, recompensas e as coisas nossas, e de Cristo fizemos nada mais do que um exator bem mais severo do que Moisés.

Um exemplo dessa mesma fé nos forneceu, mais que os outros, a beata Virgem, quando (como está escrito em Lc 2,22s.) se purificou segundo a lei de Moisés, de acordo com o costume de todas as mulheres; ainda que não estivesse subordinada a tal lei nem tivesse necessidade de se purificar, ela se sujeitou à lei espontaneamente e em livre amor, sendo igual às demais mulheres, para que não as ofendesse ou desprezasse. Ela, portanto, não foi justificada por esta obra, mas, como justa, a fez gratuita e livremente; assim também devem ser feitas nossas obras, não por causa da justificação, visto que, primeiramente justificados pela fé, devemos fazer tudo livre e alegremente por causa dos outros.

Também São Paulo circuncidou seu discípulo Timóteo[41], não porque ele necessitasse da circuncisão para a justiça, mas para não ofender ou desprezar os judeus fracos na fé, que ainda não tinham condições de entender a liberdade da fé. Por outro lado, quando, desprezando a liberdade da fé, insistiam que a circuncisão era necessária para a justiça, resistiu, e não permitiu que Tito fosse circuncidado (Gl 2,3). Pois, assim como não quis ofender ou desprezar a fraqueza de fé de ninguém, cedendo temporariamente à vontade deles, do mesmo modo não quis, por outro lado, que a liberdade da fé sofresse dano ou desprezo por parte dos legalistas endurecidos, encetando um caminho intermediário, poupando temporariamente os fracos e resistindo sempre aos endurecidos, para converter todos à liberdade da fé. O que nós fazemos deve ser feito no mesmo esforço, para que aceitemos os fracos na fé, como ele ensina em Rm 14,1s., mas resistamos com força aos empedernidos mestres das obras, do que queremos falar mais em seguida.

Em Mt 17,24s., quando de seus discípulos se exigiram as duas dracmas. Cristo discutia com São Pedro se os filhos do Rei não estariam livres de tributos. Ainda que Pedro afirmasse isso, ordenou-lhe ir ao mar, dizendo: "Para que não sejamos motivo de tropeço para eles, vai, e o primeiro peixe que subir, a este toma, e, abrindo-lhe a boca, encontrarás um estéter, ao qual tomarás e pagarás por mim e por ti". Este exemplo se aplica de forma bonita a nosso tema: Cristo chama a si e aos seus de pessoas livres e filhos do Rei, que de nada necessitam, e assim mesmo Ele se submete espontaneamente e paga o tributo. Tanto quanto, pois, esta obra foi necessária ou útil a Cristo para a justiça ou a salvação, tanto valem para a justiça também todas as outras obras dele e as dos seus, visto que todas são posteriores à justiça e livres, feitas somente para obséquio e exemplo dos outros.

No mesmo sentido vai o que Paulo ordenou em Rm 13 e Tt 3: que deveriam ser sujeitos aos poderes e prontos para toda boa obra; não para com isso serem justificados, visto que já são justos pela fé, mas para que por meio disso servissem em liberdade do Espírito a outros e aos poderes, e fizessem a vontade deles em amor gratuito. Tais devem ser também as obras de todas as fundações, mosteiros e sacerdotes, que cada qual faça as obras de sua profissão ou classe, não com o fito de alcançar a justiça, mas somente para exercitar a sujeição de seu corpo para exemplo de outros que igualmente precisam do castigo de seu corpo; depois, tão somente para submeter-se a outros conforme a vontade deles, em amor gratuito, sempre, porém, com o maior cuidado, para que ninguém presuma em confiança vã que por isso seja justificado, obtenha algum mérito ou seja salvo. Isso somente a fé o pode, como disse repetidas vezes.

Se, portanto, alguém tivesse este saber, facilmente poderia conduzir-se sem perigo nos inúmeros mandamentos e preceitos do papa, dos bispos, mosteiros, igrejas, príncipes e magistrados, mandamentos e preceitos estes nos quais alguns pastores estultos insistem como se fossem necessários para a justiça e a salvação, e os chamam de preceitos da Igreja, embora sejam nada menos do que isso. Pois o cristão livre dirá: "Jejuarei, orarei, farei isso e aquilo que foi ordenado por pessoas humanas, não porque isso me seja necessário para a justiça ou a salvação, mas para que nisso mostre respeito ao papa, ao bispo, à comunidade, a este ou àquele magistrado, ou para exemplo de meu próximo. Farei e suportarei tudo como Cristo fez e suportou muito mais por mim, coisas das quais absolutamente não necessitava, tendo sido por mim posto sob a lei, embora não estivesse sob a lei". E ainda que os tiranos pratiquem a força e a injustiça exigindo estas coisas, assim mesmo não prejudicará, enquanto não for contra Deus.

De tudo isso cada qual pode tirar um juízo certo e uma discriminação fiel de todas as obras e leis, e saber quais são os pastores cegos e estultos e quais os verdadeiros e bons. Pois qualquer obra que não for dirigida tão somente para servir ou ao castigo do corpo ou para obséquio do próximo – desde que nada exija contra Deus – não é boa nem cristã. E por isso temo veementemente que poucas ou nenhuma fundação, mosteiro, altares, ofícios eclesiásticos sejam cristãos hoje em dia, também não os jejuns e preces peculiares a certos santos. Temo, digo, que em tudo isso se busque somente o que é nosso, enquanto pensamos que, por meio disso, seriam purificados nossos pecados e encontrada a salvação. Assim é extinguida radicalmente a liberdade cristã, consequência da ignorância da fé cristã e da liberdade.

Muitos pastores totalmente cegos confirmam com afinco essa ignorância e opressão da liberdade, enquanto estimulam o povo a tais práticas e o urgem, elogiando-as e inflamando-as com suas indulgências; jamais, porém, ensinando a fé. Eu, porém, quero ter-te aconselhado o seguinte: se queres orar, jejuar, instituir uma fundação na Igreja (como o chamam), cuida para que não o faças com o fito de com isso conquistar para ti alguma vantagem, seja temporal, seja eterna. Pois farias uma injustiça à tua fé que sozinha te fornece tudo. Por isso, somente ela merece o cuidado, para que aumente por meio de exercícios de obras ou de sofrimento. Mas o que dás, dá-o livre e gratuitamente, para que outros sejam enriquecidos de ti e tua bondade e tenham bem-estar. Pois assim serás de fato bom e cristão. De que te servem tuas boas obras que bastam com sobra para castigo do corpo, quando tens o suficiente por meio de tua fé, na qual Deus te presenteou tudo?

Vê, de acordo com esta regra, os bens que temos de Deus devem fluir de um para o outro e tornar-se comuns, de sorte que cada qual assuma seu próximo e proceda com ele como se estivesse no lugar dele. Eles fluíram de Cristo e fluem para dentro de nós, Ele que nos assumiu de tal modo e procedeu conosco como se Ele fosse o que nós somos. De nós eles fluem para dentro daqueles que deles necessitam, a tal ponto que inclusive minha fé e justiça têm que colocar-se perante Deus, para cobrir e interceder pelos pecados do próximo que devo tomar sobre mim, e neles labutar e servir como se fossem meus próprios, pois foi isso que Cristo fez a nós. Este é, portanto, o verdadeiro amor e a regra sincera da vida cristã. Ele, porém, é verdadeiro e sincero, lá onde é verdadeira e sincera a fé. Por isso o apóstolo descreve o amor como aquilo que não procura o que é seu (1Cor 13,5).

Concluímos, portanto, que a pessoa cristã não vive em si mesma mas em Cristo e em seu próximo, ou então não é cristã. Vive em Cristo pela fé, no próximo, pelo amor. Pela fé é levada para o alto, acima de si mesma, em Deus; por outro lado, pelo amor desce abaixo de si, até o próximo, assim mesmo permanecendo sempre em Deus e também em seu amor, como diz Cristo em Jo 1,51: "Em verdade vos digo, a partir de agora vereis o céu aberto e os anjos de Deus subindo e descendo sobre o Filho do Homem".

Isso basta a respeito da liberdade que, como vês, é verdadeira e espiritual, tornando nossos corações livres de todos os pecados, leis e mandamentos, como diz Paulo em 1Tm 1,9: "Para o justo não há lei". Ela supera todas as demais liberdades externas tanto quanto o céu é superior à terra. Que Cristo nos faça compreender e preservá-la. Amém.

Por fim ainda é preciso fazer um adendo por causa daqueles para os quais nada pode ser dito de modo tão claro que não o depravem por mal-entendido, se é que são capazes de compreender a este mesmo adendo. São muitíssimos os que, ouvindo desta liberdade da fé, logo a transformam em ensejo da carne, julgando que agora tudo lhes é permitido. Não tem outra maneira de mostrar que são livres e cristãos do que por meio do desprezo e crítica das cerimônias, tradições e leis humanas, como se fossem cristãos porque não jejuam nos dias estabelecidos, ou comem carne enquanto outros jejuam, ou omitem as preces usuais, ridicularizando os preceitos humanos de forma arrogante, pondo de lado, por outra, todas as demais coisas respeitantes à religião cristã. A estes, por sua vez, resistem do modo mais pertinaz aqueles que se esforçam para serem salvos somente pela observância e reverência das cerimônias, como se fossem salvos porque jejuam nos dias estabelecidos, ou se abstêm de carne, ou oram determinadas preces, jactando-se dos preceitos da Igreja e dos pais; não mexendo, porém, uma palha daquilo que são as coisas próprias de nossa fé sincera. Ambos são totalmente culpáveis, porque, tendo negligenciado as coisas mais importantes e necessárias para a salvação, lutam com tanto alarde pelas coisas insignificantes e desnecessárias.

Quanto mais certo está o Apóstolo Paulo ao ensinar a tomar o caminho do meio, condenando ambos os lados, dizendo: "Quem come não despreze o que não come; e quem não come não julgue o que come" (Rm 14,3). Vês aqui: aqueles que abandonam as cerimônias e as criticam não por piedade, mas por mero desprezo, são repreendidos, visto que o apóstolo ensina a não desprezar; ocorre que a ciência os torna arrogantes. Por sua vez, aos outros pertinazes ele ensina a não julgar aqueles. Pois nenhum dos dois lados cuida do mútuo amor edificante. Por isso aqui é necessário ouvir a Escritura, que ensina a não nos inclinarmos nem para a direita nem para a esquerda, mas que sigamos as retas justiças do Senhor que alegram os corações; pois assim como ninguém é justo porque serve às obras e aos ritos das cerimônias e é seu escravo, da mesma forma ninguém pode ser considerado justo somente porque omite e condena essas coisas.

Pois pela fé em Cristo não somos livres das obras, mas do falso conceito das obras, isto é, da estulta presunção de uma justificação conseguida pelas obras. Pois redime, retifica e preserva nossas consciências a fé pela qual reconhecemos que a justiça não está nas obras, ainda que as obras não possam nem devam faltar; assim como não podemos existir sem comida e bebida e todas as obras deste corpo mortal, ainda que nossa justiça não resida nelas, mas na fé, nem por isso aquelas são condenáveis ou dispensáveis por causa disso. Assim nos encontramos no mundo coagidos pela necessidade da vida deste corpo, mas por isso não somos justos. "Meu reino não é daqui ou deste mundo" (Jo 18,36), disse Cristo; mas não disse: "Meu reino não está aqui ou neste mundo". E Paulo: "Ainda que andemos na carne, não militamos segundo a carne" (2Cor 10,3). E em Gl 2,20: "O que vivo na carne vivo na fé no Filho de Deus". Assim, o que fazemos, vivemos, somos nas obras e cerimônias, isso o faz a necessidade desta vida e o cuidado pelo governo do corpo; ainda assim não somos justos nessas coisas, mas na fé no Filho de Deus.

Por isso o cristão deve tomar o caminho do meio, e colocar diante de si esses dois tipos de pessoas. Ou se lhe deparam cerimonialistas pertinazes e endurecidos que, a exemplo das áspides surdas, não querem ouvir a verdade da liberdade[42], mas se jactam de suas cerimônias como se fossem justificações, ordenam-nas e insistem nelas sem fé, tal qual outrora os judeus que não queriam entender como agir bem. A estes é preciso resistir, fazer o contrário e escandalizá-los violentamente, para que com essa ímpia opinião não arrastem a muitos consigo ao erro. Na presença destes fica bem comer carne, romper o jejum e fazer a favor da liberdade da fé outras coisas que eles têm em conta de pecados máximos. A respeito deles se tem que dizer: "Deixai-os, são cegos e condutores de cegos" (Mt 15,14). Desse modo também Paulo não quis que Tito se circuncidasse quando aqueles o pressionaram[43], e Cristo defendeu os apóstolos porque colhiam espigas em dia de sábado[44], e muitos casos semelhantes. Ou então se lhe deparam os símplices, ignorantes e fracos na fé (como os chama o apóstolo[45]), os que ainda não são capazes de entender esta liberdade da fé, mesmo que o quisessem. Estes devem ser poupados, para que não se melindrem, e é preciso ter consideração com sua fraqueza até que sejam melhor instruídos. Visto que não o fazem nem cogitam por malícia empedernida, mas tão somente por fraqueza da fé, devem ser observados os jejuns e outras coisas que estes julgam necessários, para evitar que se escandalizem; pois isso exige o amor que a ninguém lesa, mas a todos serve. Pois não são fracos por culpa própria, mas por culpa de seus pastores que os prenderam no cativeiro e os machucaram terrivelmente com as armadilhas e armas de suas tradições, das quais deveriam ter sido libertados e sanados pela doutrina da fé e da liberdade. Assim [diz] o apóstolo em Rm 14,15: "Se minha comida escandaliza a meu irmão, jamais comerei carne"[46]. E mais uma vez: "Sei que por meio de Cristo nada é comum a não ser para aquele que o considera comum; mas faz mal à pessoa que come com escândalo" (Rm 14,14).

Por isso, ainda que se tenha que resistir energicamente a esses mestres das tradições e recriminar violentamente as leis dos pontífices com as quais investem contra o povo de Deus, deve-se poupar a multidão apavorada, a qual aqueles tiranos ímpios mantêm cativa através dessas leis, até que se libertem. Por isso, luta duramente contra os lobos, mas em favor das ovelhas, e não simultaneamente contra as ovelhas. Farás isso se atacares as leis e os legisladores e não obstante ao mesmo tempo as cumprires em relação aos fracos, para que não sejam escandalizados, até que também eles reconheçam a tirania e compreendam sua liberdade. Se, pois, queres fazer uso de tua liberdade, faze-o em secreto, como diz Paulo em Rm 14,22: "A fé que tens, tem-na contigo mesmo perante Deus". Cuida, porém, que não a uses perante os fracos. Por outro lado, perante os tiranos e empedernidos, usa-a para desprezo de todos eles, com toda a persistência, para que também eles entendam que são ímpios e que suas leis nada servem para a justiça, que inclusive sequer tinham o direito de estabelecê-las.

Visto, portanto, que não se pode viver esta vida sem cerimônias e obras, sim, que a fase fogosa e rude da adolescência tem necessidade de ser contida e preservada por estas barreiras, e que cada qual tem que castigar o corpo com este esforço, o ministro de Cristo deve ser prudente e fiel para, em tudo isso, governar e ensinar o povo de Cristo de tal modo que sua consciência e fé não sejam melindradas, que neles não surja uma opinião ou raiz de amargura e por meio dela sejam contaminados muitos, como Paulo preveniu os hebreus[47]; isto é, para que não comecem, sob perda da fé, a contaminar-se com a falsa ideia das obras, como se devessem ser justificados por meio delas. Isso acontece com facilidade e contamina a muitos, quando não é simultaneamente inculcada a fé, porém é impossível ser evitado onde, depois de silenciada a fé, somente são ensinadas instituições humanas, como foi feito até agora pelas pestilentas, ímpias, animicidas tradições de nossos pontífices e pelas opiniões dos pseudoteólogos, com infinitas almas arrastadas ao inferno por meio dessas armadilhas, de sorte que podes reconhecer o anticristo.

Em suma, como a pobreza se comprova nas riquezas, a fidelidade nos negócios, a humildade nas honrarias, a abstinência nas festas, a castidade nas delícias, assim a justiça da fé se comprova nas cerimônias. "Pode alguém", disse Salomão, "levar fogo no seio sem queimar suas roupas?" (Pr 6,27). Não obstante, como em riquezas, negócios, honrarias, delícias, comidas, assim também é preciso conviver com cerimônias; isto é, com perigos. E mais: assim como os meninos pequenos têm absoluta necessidade de receber cuidados no seio e pelo cuidado de empregadas, para não perecerem, os quais contudo, quando adultos, correm risco de sua salvação ao conviver com moças da mesma maneira, é necessário as pessoas rudes, e em idade fogosa, que sejam contidas e dominadas pelas barreiras das cerimônias, inclusive férreas, para que seu espírito desenfreado não se lance no precipício dos vícios; contudo, será sua morte se nelas perseverarem, na falsa ideia da justificação. Antes, devem ser ensinadas no sentido de que não são encarceradas desse modo para que, por meio disso, sejam justas e merecedoras de muitas coisas, mas para que não pratiquem o mal e possam ser instruídas com mais facilidade para a justiça da fé, o que não suportariam, por causa do ímpeto da idade, se esse não fosse reprimido.

Por isso, as cerimônias não devem ocupar outro lugar na vida cristã do que ocupam os preparativos dispostos para a construção e operação entre operários e artífices. Eles não são feitos para serem algo ou para permanecerem, mas porque sem eles nada se pode construir ou fazer; depois de concluída a construção, são demolidos. Vês aqui que essas coisas não são desprezadas, mas procuradas ao máximo; o que se despreza é a falsa ideia, porque ninguém considera essas coisas como sendo a construção verdadeira e permanente. Se alguém fosse tão flagrantemente louco que em toda a vida não cuidasse de outra coisa do que dispor essas preparações da forma mais suntuosa, diligente e pertinaz possível, mas sem jamais pensar na construção em si, agradando-se a si mesmo e jactando-se de sua obra nesses preparativos e armações vãos, não iriam todos ter pena de sua loucura e achar que com esse dispêndio perdido poderia ter sido construído algo grande? Assim, não desprezamos nem as cerimônias nem as obras; pelo contrário, as procuramos ao máximo. No entanto, desprezamos a falsa ideia das obras, para que ninguém julgue que esta seria a verdadeira justiça, como fazem os hipócritas que gastam e perdem toda a vida nesses esforços, e jamais chegam ao alvo pelo qual o fizeram, ou, como diz o apóstolo: "Aprendendo sempre, e jamais chegando ao conhecimento da verdade" (2Tm 3,7). Parece que querem construir e se preparam para isso, mas não constroem nunca. Assim, permanecem na aparência da piedade e não atingem seu poder[48]. Entrementes, porém, agradam-se a si mesmos em seus esforços e ousam inclusive julgar todos os outros aos quais não veem brilhar em igual pompa de obras, enquanto que com esse vão dispêndio e abuso das dádivas de Deus poderiam ter realizado grandes coisas para sua própria salvação e a de outros, se estivessem imbuídos de fé.

Visto, porém, que a natureza humana e a razão natural (como dizem) são supersticiosas por natureza e, quando lhes são prescritas quaisquer leis ou obras, tendem para a falsa ideia de que a justificação deve ser conquistada por elas, e ainda porque são exercitadas e firmadas nesse mesmo sentido pela prática de todos os legisladores terrenos, é impossível que, por si mesmas, se livrem dessa servidão das obras e cheguem ao conhecimento da liberdade da fé. Por isso é necessária a oração para que o Senhor nos atraia e faça de nós teodidatas, isto é, instruídos por Deus, e que Ele inscreva em nossos corações a lei, como prometeu[49]. Do contrário, estamos perdidos. Pois se Ele mesmo não ensinar interiormente esta sabedoria oculta no ministério[50], a natureza só pode condená-la e julgá-la herege, porque se escandaliza com ela e a considera estulta. É o que vimos acontecer outrora com os profetas e apóstolos, e assim também procedem hoje comigo e meus semelhantes, os ímpios e cegos pontífices, juntamente com seus aduladores, dos quais, um dia, Deus se comisere, juntamente conosco, e faça iluminar seu rosto sobre nós, para que na terra reconheçamos seu caminho, sua salvação em todos os povos[51]. Ele é bendito pelos séculos[52]. Amém.

Tradução de Ilson Kayser

2

Da autoridade secular

Até que ponto se lhe deve obediência[*1]
(1523)

Ao sereno, ilustre, príncipe e senhor, senhor
João[2], duque da Saxônia, landgrave da Turíngia e
margrave de Meissen, meu magnânimo senhor.

Graça e paz em Cristo. Novamente[3] a necessidade e o pedido de muitas pessoas constrangem-me,
sereno, ilustre príncipe, magnânimo senhor, a escrever, em primeiro lugar, a Vossa Magnificência Principesca, a respeito da autoridade secular e de sua espada, de como deve ser usada cristãmente e até que
ponto se lhe deve obediência. Pois são movidas pela
palavra de Cristo, em Mateus 5,39s.: "Não resistas
ao mal, mas sê complacente com teu adversário, e a
quem te tirar a túnica, deixa-lhe também a capa". E
Rm 12,19: "A vingança é minha, diz o Senhor, eu retribuirei". Com essas palavras o príncipe Volusiano[4]
atacou, outrora, Santo Agostinho e acusou a doutrina
cristã de permitir aos maus de cometerem a maldade
e que, de maneira alguma, pudesse coadunar-se com
a espada secular.

51

Da mesma forma também se escandalizaram com isso os sofistas[5] nas universidades, visto que não podiam coadunar as duas coisas. Para de forma alguma acusarem os príncipes de pagãos, ensinaram que Cristo não ordenara tal coisa, mas que apenas o aconselhara aos perfeitos[6]. Assim, Cristo teve que passar por mentiroso e não pode ter razão, para, em todos os casos, preservar a honra dos príncipes. Pois os cegos, míseros sofistas não podiam exaltar os príncipes sem rebaixarem a Cristo. Assim, seu engano venenoso se alastrou pelo mundo todo, de modo que todos consideram essa doutrina de Cristo apenas conselhos para os perfeitos, e não mandamentos obrigatórios para todos os cristãos. Chegaram ao ponto de não só permitirem que o perfeito estado dos bispos, sim, o superfeito estado do papa assumisse esse estado imperfeito da espada e da autoridade secular, mas conferiram-no a mais ninguém na terra tão plenamente como à categoria dos bispos e do papa. O diabo se apossou de tal maneira dos sofistas e das universidades que eles próprios não mais percebem o que falam ou ensinam.

Espero, porém, ensinar aos príncipes e à autoridade secular de tal maneira que continuem sendo cristãos, e Cristo um Senhor, sem necessidade de, por sua causa, transformar os mandamentos de Cristo em meros conselhos. Quero fazer isso como humilde prestação de serviço à Vossa Magnificência Principesca e a todo aquele que disso precisar, para a glória e louvor de Cristo, nosso Senhor. Recomendo Vossa Magnificência Principesca e toda sua linhagem à graça de Deus que o aceite misericordiosamente. Amém.

Wittenberg, no dia de Ano-novo de
1523
De vossa Magnificência Principesca
Submisso

Martinho Lutero

Anteriormente escrevi um livrinho à nobreza
alemã e mostrei qual é o seu ministério e função
cristã. No entanto, é suficientemente conhecido o
quanto se importaram com o que escrevi. Por isso tenho que concentrar meus esforços em outro sentido
e escrever agora o que não devem fazer. Espero que
o acatem da mesma forma como acataram aquele outro escrito, para que, em todos os casos, continuem
sendo príncipes e jamais venham a ser cristãos. Pois
Deus, o onipotente, enlouqueceu os nossos príncipes, de sorte que pensam poderem fazer e ordenar a
seus súditos o que quiserem; e também os súditos se
enganam, quando creem estarem obrigados a cumprir tudo isso plenamente. Agora até começaram
a ordenar ao povo que entreguem livros[7], creiam e
cumpram o que eles ordenam. Com isso atrevem-se
inclusive a sentar no trono de Deus e a dominar as
consciências e a fé e, em seu cérebro louco, a tratar
o Espírito Santo como aluno. Mesmo assim exigem
que não se lhes diga isso e que ainda se os denomine
de magnânimos senhores.

Escrevem e promulgam instruções impressas, dizendo que o imperador o ordenou[8] e que pretendem
ser príncipes cristãos e obedientes, como se levassem
a coisa a sério e como não se pudesse notar a maga-
nice atrás de suas orelhas. Se, porém, o imperador
lhes tirasse um castelo ou uma cidade, ou lhes ordenasse alguma outra injustiça, aí então veríamos os
belos motivos que encontrariam para resistir
ao imperador e para não precisarem obede-

cer-lhe. Quando, porém, se trata de explorar o homem pobre e de desafogar sua petulância na Palavra de Deus, chama-se isso de obediência ao mandamento imperial. Antigamente essas pessoas eram chamadas de patifes; agora tem que chamá-los de príncipes cristãos e obedientes, mas não admitem alguém para um interrogatório ou para chamá-los à responsabilidade, por mais que insista. Para eles seria totalmente insuportável caso o imperador ou alguém outro agisse com eles dessa maneira! São esses os príncipes de nossos dias que governam o império em terras alemãs. É por isso que as coisas andam em todos os territórios do jeito como podemos ver.

Como, pois, a sanha desses loucos contribui para o extermínio da fé cristã, para a negação da Palavra de Deus e a blasfêmia da majestade divina, não posso nem quero silenciar por mais tempo diante de meus mesquinhos senhores e encolerizados morgados. Tenho que resistir-lhes pelo menos com palavras. Não temi seu ídolo, o papa, que ameaçava tomar-me a alma e o céu. Por isso também tenho que demonstrar que não temo suas escamas e bolhas d'água[9] que ameaçam tirar-me o corpo e a terra. Queira Deus que permaneçam zangados para sempre e que nos ajudem para que não morramos por causa de suas ameaças. Amém.

Em primeiro lugar temos que fundamentar bem o direito e a espada secular para que ninguém duvide que ela existe no mundo por vontade e ordenação de Deus. As palavras que a fundamentam são: Rm 13,1-2: "Toda alma esteja submissa ao poder e à autoridade; pois não há poder que não seja de Deus: onde quer que haja poder, ele foi ordenado por Deus. Quem, pois, resistir ao poder, resiste à ordenação de Deus. Quem, todavia, resiste à ordenação de Deus, este atrai sobre si mesmo a condenação". *Igualmente* 1Pd 2,13s.: "Sede submissos a toda ordem humana, seja ao rei, como o mais nobre, ou a seus procuradores, que são por ele enviados para castigar os maus e recompensar os piedosos".

O direito dessa espada existiu desde o começo do mundo. Pois, quando Caim matou Abel, teve tanto medo de que também o matassem, que Deus inclusive proibiu isso expressamente e tornou sem efeito a espada para que ninguém o viesse a matar[10]. Não teria tido esse medo caso não tivesse visto e ouvido desde Adão que se deve matar os assassinos. Além disso, Deus reintroduziu essa lei expressamente após o dilúvio e a confirmou ao dizer em Gn 9,6: "Se alguém derramar sangue humano, o seu será, por sua vez, derramado pelo homem". Isso não pode ser compreendido no sentido de um flagelo ou castigo que haveria de cair sobre o assassino, da parte de Deus; pois muitos assassinos continuam vivos por pagarem fiança ou por serem favorecidos e morrem sem a espada. Diz-se aí a respeito do direito da espada que um assassino é réu de morte e que pelo direito deve ser morto. Agora, se a justiça for impedida ou a espada é morosa, de sorte que o assassino venha a falecer de morte natural, nem por isso a Escritura está errada ao dizer: "Quem derramar sangue humano há que se derramar seu sangue pelo homem". Pois é culpa ou iniciativa do homem caso o direito ordenado por Deus não for cumprido, da mesma forma como também são transgredidos outros mandamentos de Deus.

No mais, também foi confirmado pela lei de Moisés (Ex 21,14): "Quem matar alguém propositadamente, a esse arrancarás de meu altar, para que seja morto". E ali se lê segunda vez: "Corpo por corpo, olho por olho, dente por dente, pé por pé, mão por mão, ferida por ferida, galo por galo". Também Cristo confirma, quando disse a Pedro no jardim: "Quem tomar a espada, pela espada morrerá" (Mt 26,52), o que deve ser entendido no mesmo sentido de Gn 9,6: "Quem derramar sangue humano etc." Com esta palavra Cristo aponta, sem dúvida, para aquela passagem e com ela cita aquela palavra e quer tê-la confirmada. Do mesmo modo ensinou também João Batista; quando os soldados o perguntaram pelo que deveriam fazer, responde: "A ninguém maltrateis nem façais injustiça, e contentai-vos com vosso soldo" (Lc 3,14). Se a espada não fosse uma instituição divina, teria que ordenar-lhes para que se distanciassem dela, pois sua finalidade era a de levar o povo à perfeição e de instruí-lo cristãmente. Portanto, é certo e suficientemente esclarecido que é da vontade de Deus que a espada e o direito secular sejam usados para castigar os maus e proteger os piedosos.

Segundo. A isso contradiz vigorosamente a palavra que Cristo profere em Mt 5,38: "Ouvistes o que foi dito aos antepassados: olho por olho, dente por dente. Eu, porém, vos digo que não se deve resistir a nenhum mal; mas, se alguém te bater na face direita, oferece-lhe também a outra; e se alguém quer demandar contigo para tirar-te a túnica, deixa-lhe também a capa; e se alguém te obrigar a andar uma milha, vai com ele duas etc." Também Paulo diz em Rm 12,19: "Amados, não vos defendais a vós mesmos, mas dai lugar à ira de Deus, pois está escrito: A vingança é minha; eu retribuirei, diz o Senhor". Também Mt 5,44: "Amai os vossos inimigos, fazei o bem aos que vos odeiam". E 1Pd 2 (*sc.* 3,9): "Ninguém pague mal com mal ou injúria etc." Sem dúvida, essas e outras palavras semelhantes são duras, como se na nova aliança os cristãos não pudessem ter espada temporal.

Eis o motivo por que também os sofistas afirmam que com isso Cristo teria revogado a lei de Moisés e transformam esses mandamentos em "conselhos" para os perfeitos e dividem a doutrina cristã e o estado cristão em dois. A um denominam de estado perfeito. A esse adjudicam os mencionados conselhos. Ao outro denominam o estado imperfeito. A esse adjudicam os mandamentos. Fazem isso por iniciativa e arbítrio próprios e injuriosos, sem qualquer base da Escritura. Não veem que na mesma passagem Cristo ordena sua doutrina com tanto rigor que não quer que o mínimo seja abolido, e condena ao inferno os que não amam a seus inimigos[11]. Por isso temos que falar a respeito disso de outro modo, no seguinte sentido: as palavras de Cristo permanecem válidas em geral para toda pessoa, seja ela perfeita ou imperfeita. Pois perfeição ou imperfeição não tem base naquilo que se faz; também não cria nenhum estado externo especial entre os cristãos; mas tem sua base no coração, na fé e no amor, de sorte que quem mais crê e ama, este é perfeito, seja exteriormente homem ou mulher, príncipe ou camponês, monge ou leigo. Pois amor e fé não provocam separações ou diferenças exteriormente.

Terceiro. Aqui temos que dividir os filhos de Adão e todas as pessoas em dois grupos: uns pertencem ao Reino de Deus, os outros, ao reino do mundo. Os que pertencem ao Reino de Deus são todos os que, como verdadeiramente crentes, estão em Cristo e sob Cristo. Pois Cristo é o Rei e Senhor do Reino de Deus, como afirma o Sl 2,6 e toda a Escritura; e foi exatamente para isso que Ele veio: para dar início ao Reino de Deus e erigi-lo no mundo. Por essa razão diz diante de Pilatos: "Meu reino não é do mundo, mas quem é da verdade, este ouve minha voz" (Jo 18,36s.), referindo-se constantemente ao Reino de Deus no Evangelho, dizendo: "Melhorai-vos; o Reino de Deus chegou" (Mt 4,17); *igualmente*: "Procurai em primeiro lugar o Reino de Deus e sua justiça" (Mt 6,33). Inclusive denomina o Evangelho de *Evangelho do Reino de Deus* porque ensina, governa e mantém o Reino de Deus.

Ora, essas pessoas não precisam de espada ou direito secular. E se todas as pessoas fossem cristãos autênticos, isto é, verdadeiros crentes, não seriam necessários nem de proveito príncipe, rei ou senhor, nem espada nem lei. Pois para que lhes serviriam? Eles têm no coração o Espírito Santo que os ensina e efetua que não façam mal a ninguém, que amem a todos e que sofram, de bom grado e alegremente, injustiças, sim, inclusive a morte da parte de qualquer pessoa. Onde há apenas sofrer injustiças e fazer justiça, aí não há espaço para briga, discórdia, juízo, castigo, lei ou espada. Por isso é impossível que a espada e a lei temporal encontrem algo a fazer entre os cristãos; pois, por si mesmos, eles já fazem muito mais do que toda a lei e ensinamentos possam exigir, como diz Paulo em 1Tm 1,9: "Não se deu nenhuma lei para os justos, mas, sim, para os injustos".

Por quê? Porque o justo faz, por si mesmo, tudo e mais ainda do que o exigido por todas as leis. Os injustos, em contraposição, nada fazem que seja justo; por isso necessitam da lei que os ensina, obriga e pressiona para agirem bem. Uma boa árvore não necessita nem de ensino nem de lei para dar bons frutos[12]; mas sua natureza faz com que, sem lei e ensino, produza fruto, conforme sua natureza. Seria louco um homem que escrevesse um livro para a macieira, cheio de leis e normas, para que produzisse maçãs, e não espinhos. Pois a árvore faz isso por natureza muito melhor do que o homem o pode descrever e ordenar com todos os livros. Assim também todos os cristãos estão naturados de tal maneira pelo Espírito Santo, que agem bem e corretamente melhor do que se lhes ensinar com todas as leis; eles não precisam para si de lei ou norma.

A isso objetas: Por que então Deus deu a todos os homens tantas leis e por que também Cristo ordena tantas coisas no Evangelho? A respeito disso já escrevi muito na postila e em outros lugares[13]. Aqui seja dito somente o seguinte: Se Paulo diz que a lei foi dada por causa dos injustos[14], isso significa que os não cristãos são impedidos exteriormente de fazer o mal pela imposição da lei, como ainda veremos. Visto, porém, que nenhum ser humano é cristão e justo por natureza, mas que todos são pecadores e maus[15], Deus combate a todos eles com a lei, para que não ousem praticar exteriormente sua maldade por obras conforme seu arbítrio. Além disso, São Paulo ainda confere à lei outro ofício em Rm 7,7 e Gl 2,16s.: ela ensina a reconhecer o pecado, para que o ser humano se torne humilde para a graça e a fé em Cristo. É assim que também Cristo age aqui em Mt 5,39, ao ensinar que não se deve resistir ao mal. Com isso interpreta a lei e ensina como um verdadeiro cristão deve e tem que ser, como ouviremos mais abaixo.

Quarto. Ao reino do mundo ou sob a lei pertencem todos os não cristãos. Pois, visto que são poucos os crentes e somente a minoria age como cristãos, não resistindo ao mal, ou até não fazendo ela própria o mal, Deus criou para esses, ao lado do estado cristão e do Reino de Deus, outro regime (*Regiment*) e os submeteu à espada, a fim de que, ainda que o queiram, não possam praticar sua maldade e, caso a praticarem, não o possam fazer sem temor e em paz e felicidade. Do mesmo modo como se domina com correntes e cordas um animal feroz, para que não possa morder e dilacerar, como é próprio de sua raça, mesmo que o quisesse; um animal manso e dócil, ao contrário, não precisa disso. É inofensivo, mesmo sem correntes e peias.

Pois se assim não fosse, visto que todo o mundo é mau e entre mil é difícil encontrar um único verdadeiro cristão, um devoraria o outro, de maneira que ninguém estaria em condições de ter mulher e filhos, trabalhar pelo sustento e servir a Deus; o mundo seria devastado. Por isso Deus instituiu os dois domínios: o espiritual, que cria cristãos e pessoas justas através do Espírito Santo, e o temporal, que combate os acristãos e maus, para que mantenham paz externa e tenham que ser cordatos contra sua vontade. É nesse sentido que São Paulo interpreta a espada secular em Rm 13,3, ao afirmar que ela não se destina para temer pelas boas obras, mas pelas más. E Pedro diz que foi dada para castigar os maus (1Pd 2,14).

Se agora alguém quisesse governar o mundo segundo o Evangelho e eliminar toda a lei e a espada secular, argumentando que todos foram batizados e são cristãos, entre os quais o Evangelho não quer que haja nem lei nem espada, e também não há necessidade – meu caro, adivinha o que esse mesmo estaria fazendo? Soltaria as cadeias e correntes dos animais selvagens e maus para dilacerarem e morderem, e argumentaria que se trata de maravilhosos animaizinhos mansos e dóceis. Eu, porém, o sentiria muito bem em minhas feridas. Assim, os maus abusariam da liberdade cristã sob o manto do nome cristão, a patifaria correria solta e ainda diriam que são cristãos e que, por isso, não estariam sujeitos a nenhuma lei e espada, como já existem alguns loucos e desvairados[16].

A uma tal pessoa se teria que dizer: Sim, é certo que, por causa própria, os cristãos não estão sujeitos a nenhuma lei ou espada, nem delas necessitam. Mas cuida e enche primeiro o mundo de verdadeiros cristãos antes de governá-lo cristã e evangelicamente. Isso, no entanto, jamais conseguirás, pois o mundo e a massa do povo são e permanecem acristãos, mesmo que todos tenham sido batizados e sejam chamados de cristãos. Os cristãos, porém, como se costuma dizer, moram distantes um do outro. Por isso não é possível que se estabeleça um regime cristão geral para o mundo inteiro, nem mesmo para um país ou uma grande multidão de pessoas. Pois os maus sempre superam os justos em número. Por isso, se um país inteiro ou o mundo se arriscasse a governar com o Evangelho, seria a mesma coisa que se um pastor juntasse no mesmo estábulo lobos, leões, gaviões e ovelhas e os deixassem conviver livremente e dissesse: "Apascentai-vos e sede justos e pacíficos uns com os outros; o estábulo está aberto, tendes pasto em abundância, não precisais temer cães nem cacetes". As ovelhas certamente seriam pacíficas e se deixariam apascentar e governar pacificamente; mas não viveriam por muito tempo, e nenhum animal estaria a salvo do outro.

Por isso tem que se distinguir cuidadosamente esses dois regimes e deixá-los vigorar: um que torna justo, o outro que garante a paz exterior e combate as obras más. Sozinho, nenhum dos dois basta no mundo. Pois sem o regime espiritual de Cristo ninguém pode ser justificado perante Deus por meio de regime secular. Pois o regime de Cristo não se estende sobre todos os seres humanos, mas, em todos os tempos, os cristãos são o grupo menor e encontram-se dispersos entre os acristãos. Onde, pois, reinar somente o regime secular ou a lei, aí pode haver somente hipocrisia, mesmo que fossem os próprios mandamentos de Deus. Pois sem o Espírito Santo no coração, ninguém se torna verdadeiramente justo, faça tantas belas obras quantas quiser. Onde, porém, o regime espiritual governa sozinho sobre terra e gente, aí se darão rédeas soltas à maldade e se abrirá espaço a toda sorte de patifarias. Porque o mundo em geral não o pode aceitar e compreender.

Vês, pois, qual é o sentido das palavras de Cristo que citamos acima em Mt 5,39, segundo as quais os cristãos não devem defender seus direitos nem ter em seu meio a espada temporal. Na verdade, ele o diz somente a seus amados cristãos; eles também são os únicos que o aceitam e agem de acordo, e não as transformam em "conselhos", como os sofistas, mas pelo Espírito receberam no coração uma natureza tal que não fazem mal a ninguém e sofrem, de bom grado, maldade de todo o mundo. Agora, se o mundo inteiro fosse formado de cristãos, todas essas palavras lhe diriam respeito e ele agiria de acordo. Como, porém, é formado de acristãos, essas palavras não o atingem e ele não age de acordo; está sujeito ao outro regime, no qual se forçam e compelem os cristãos exteriormente à paz e ao bem.

Por essa razão, Cristo também não usou espada e também não instituiu nenhuma em seu reino[17]. Pois Ele é um rei sobre cristãos e governa sem lei, somente através de seu Espírito Santo. E, apesar de ter confirmado a espada, não fez uso dela. Porque ela não serve para seu reino, onde só há justos. Foi por esta razão que outrora Davi não pôde construir o templo: havia derramado muito sangue e usado a espada[18]. Não que tivesse cometido alguma injustiça, mas não pôde ser um protótipo de Cristo, que quer ter um reino pacífico, sem espada. Essa missão coube a Salomão, que significa o Pacífico[19], que tinha um reino de paz com o qual se podia indicar o verdadeiro reino de paz de Cristo, o verdadeiro Frederico, o verdadeiro Salomão. O texto ainda diz: "Em toda a construção do templo nunca se ouviu instrumento de ferro" (1Rs 6,7). Tudo isso para indicar que Cristo teria um povo livre, sem pressões e atropelos, sem lei e espada.

É isso que expressam os profetas no Sl 110,3: "Teu povo serão os voluntários". E Is 11,9: "Não matarão, nem farão dano em todo o meu santo monte". E Is 2,4: "Converterão suas espadas em pás de arado e suas lanças em foices, e ninguém levantará uma espada contra o outro e se dará ao trabalho de lutar etc." Quem quisesse estender esses versículos a todos os lugares onde é pronunciado o nome de Cristo, este estaria pervertendo a Escritura; eles se referem tão somente aos verdadeiros cristãos: estes, com certeza, procedem desta forma entre si.

Quinto. Aqui objetas: Se os cristãos não precisam da espada secular e da lei, por que então Paulo diz em Rm 13,1 a todos os cristãos: "Todas as almas sejam submissas ao poder e à autoridade?", e São Pedro: "Sede submissos a toda instituição humana etc." (1Pd 2,13), conforme referido acima? Resposta: Há pouco expliquei que entre si e para si próprios os cristãos não necessitam de lei e espada; pois para eles é desnecessária e sem serventia. Visto, porém, que o verdadeiro cristão não vive na terra para si próprio, mas para o próximo, e lhe serve, faz também, por natureza de seu espírito, aquilo que não necessita, mas que é proveitoso e necessário para seu próximo. Sendo a espada de grande necessidade e serventia para o mundo todo, para que seja mantida a paz, castigado o pecado e sejam combatidos os maus, o cristão se submete de bom grado ao regime da espada: paga impostos, honra a autoridade, auxilia e faz tudo o que pode e que é útil para a autoridade, a fim de que sejam preservados seu poder, honra e temor, embora não necessite de nada disso para si próprio. Pois visa ao que é útil e bom para outros, como ensina Paulo em Ef 5,21.

Da mesma forma também faz todas as demais obras da caridade, das quais não tem necessidade (pois não visita os doentes para curar-se com isso; não alimenta a ninguém porque ele próprio necessita de alimento). Do mesmo modo não serve à autoridade porque necessita dela, mas porque os outros necessitam dela, para que sejam protegidos e os maus não se tornem ainda mais malvados. Com isso não perde nada e tal serviço também não lhe faz mal, e mesmo assim presta um grande serviço ao mundo. Se não o fizesse, não estaria agindo como cristão, e, acima de tudo, estaria contrariando o amor, além disso, daria aos outros um mau exemplo que também não quereriam suportar a autoridade, embora fossem acristãos. Isso seria uma vergonha para o Evangelho, como se ensinasse revolta e tornasse as pessoas teimosas, que não querem ser úteis nem servir a ninguém, enquanto, em realidade, torna o cristão um servo de todos[20]. Foi nesse sentido que Cristo deu o estáter em Mt 17,27, para não oferecer motivo de escândalo, embora não tivesse tido necessidade disso.

Assim também podes depreender das palavras de Cristo supracitadas de Mt 5,39 que Cristo de fato ensina que os cristãos não devem ter entre si espada secular ou lei. Não proíbe, porém, que se sirva e seja submisso aos que possuem a espada temporal ou a lei. Pelo contrário, porque não a necessitas e não a deves possuir, deves servir tanto mais aos que não chegaram ao ponto a que tu chegaste e que ainda a necessitam. Mesmo que não tenhas necessidade de que se castigue teu inimigo, teu próximo doente precisa disso; a este deves auxiliar para que tenha paz e se combata seu inimigo. Isso, porém, não pode acontecer a não ser que se honre e tema o poder e a autoridade. Cristo não diz: "Não servirás nem serás submisso à autoridade", mas: "Não resistas ao mal" (Mt 5,39). É como se quisesse dizer: "Age de tal modo que tudo sofras, para que não tenhas necessidade da autoridade para te auxiliar e servir, te seja útil e necessária; pelo contrário, que tu lhe ajudes, lhe sirvas e lhe sejas útil e necessário. Quero que sejas tão altaneiro e nobre que não venhas a necessitar dela; muito antes, ela deve necessitar de ti".

Sexto. Agora perguntas se um cristão também pode usar a espada secular e castigar os maus, considerando-se que as palavras de Cristo: "Não resistas ao mal", são tão duras e claras que os sofistas as tiveram que transformar em "conselho". Resposta: Até agora ouviste dois ensinamentos. Um que diz que entre os cristãos não pode haver espada; por isso não a podes usar sobre e entre cristãos, que dela não necessitam. Portanto, tens que dirigir tua pergunta ao outro grupo dos não cristãos, se ali a poderias usar cristãmente. Este é o segundo ensinamento: é teu dever servir à espada e promovê-la de todas as formas, seja com a vida, bens, honra e alma. Pois trata-se de uma obra da qual não necessitas, mas que é extremamente útil e necessária para todo mundo e para teu próximo. Por isso, ao veres que há falta de carrasco, agente policial, juiz, senhor ou príncipe e te julgares apto, deverias oferecer e candidatar-te, para que, de forma alguma, a autoridade tão necessária seja desprezada, enfraquecida ou desapareça. Pois o mundo não pode e não consegue prescindir dela.

Motivo: Nesse caso assumirias um serviço e uma função completamente alheia, que não traria proveito para ti nem para tua propriedade ou honra, mas que é de proveito somente para o próximo e para outros. E não o farias com a intenção de te vingares ou de pagares mal por mal, mas para o bem de teu próximo e para a preservação da segurança e paz para os outros. Pois para ti mesmo ficas com o Evangelho e te aténs à palavra de Cristo, sofrendo de bom grado a outra bofetada no rosto e entregando a capa com a veste – desde que atinja a ti e tua própria causa. Assim, as duas coisas combinam maravilhosamente: satisfazes ao Reino de Deus e ao reino do mundo, exterior e interiormente, sofres mal e injustiça e castigas mal e injustiça ao mesmo tempo, simultaneamente não resistes ao mal e, não obstante, lhe resistes. Pois com uma coisa visas a ti e o que é teu, com a outra, a teu próximo e ao que é seu. Onde se trata de ti e do que é teu, aí agirás de acordo com o Evangelho e sofrerás, como bom cristão, injustiças no que toca a tua pessoa; onde se trata do outro e do que é seu, aí agirás de acordo com o amor e não permitirás injustiças para teu próximo; e isso o Evangelho não proíbe, muito antes, ordena-o em outra passagem.

Desta maneira usaram a espada todos os santos desde o início do mundo, Adão e seus descendentes. Foi assim que Abraão a usou quando salvou o sobrinho Ló, vencendo os quatro reis (Gn 14,15), apesar de ser um homem completamente evangélico. Assim também Samuel, o santo profeta, derrotou o Rei Agag, 1Rs (*sc.* 1Sm 15,33) e Elias, os profetas de Baal, 3Rs (*sc.* 1Rs 18,40). Da mesma maneira usaram da espada Moisés, Josué, os filhos de Israel, Sansão, Davi e todos os reis e príncipes do Antigo Testamento; também Daniel e seus companheiros Ananias, Azarias e Misael na Babilônia, *igualmente* José no Egito etc.

Se, porém, alguém quisesse argumentar que o Antigo Testamento foi abolido e que não vale mais e que por isso não se poderiam mais apresentar tais exemplos aos cristãos, eu respondo: Não é assim, pois São Paulo diz em 1Cor 10,3: "Comeram o mesmo manjar espiritual e beberam a mesma bebida espiritual da rocha que é Cristo, como nós". Isto significa que tiveram o mesmo Espírito e fé em Cristo que nós temos e foram cristãos assim como nós. O que, pois, foi correto para eles, é correto também para todos os cristãos desde o princípio até o fim do mundo. Pois a época e o modo exterior de viver não faz diferença entre os cristãos. Também não é verdade que o Antigo Testamento esteja abolido, de forma que não o devêssemos cumprir mais ou que estivesse errando aquele que o cumpre, como incorreram em erro São Jerônimo[21] e muitos outros. Muito antes, o Antigo Testamento foi superado no sentido de que somos livres para cumpri-lo e para deixá-lo, e que não mais é necessário cumpri-lo sob pena de perder-se a alma, como foi outrora.

Pois Paulo afirma em 1Cor 7,19 e Gl 6,15 que nem o prepúcio nem a circuncisão têm algum valor, mas tão somente uma nova criatura em Cristo. Isto é, não é pecado ter um prepúcio, como pensavam os judeus; também não é pecado circuncidar-se, como pensavam os pagãos, mas ambas as coisas são livres e boas, caso alguém as fizer sem pensar que com isso seja justo e venha a salvar-se. O mesmo acontece com as demais partes do Antigo Testamento: não é incorreto quando alguém o deixa de cumprir, e não é correto quando alguém o cumpre. Tudo isso é permitido e bom para cumprir ou deixar de cumprir. Caso fossem úteis e necessários para a salvação do próximo, dever-se-iam cumprir todos [os preceitos do AT]. Pois todas as pessoas têm o dever de fazer o que é útil e necessário para o próximo, esteja escrito no Antigo ou no Novo Testamento, seja algo judeu ou algo gentio. É assim que Paulo o ensina em 1Cor 12,13. Pois o amor a tudo permeia, está acima de tudo e visa ao que é útil e necessário para os outros, não perguntando se é velho ou novo. Assim também tens liberdade em relação àqueles exemplos do uso da espada: podes imitá-los e também deixar de imitá--los. Apenas, ao veres que teu próximo o necessita, o amor te constrange a fazer o que normalmente te estaria liberado e que te seria desnecessário. No entanto, não penses que com isso poderias tornar-te justo e obter a salvação, como se arrogavam os judeus com base em suas obras; isso deves deixar por conta da fé que te torna nova criatura sem as obras.

E para prová-lo também a partir do Novo Testamento, João Batista é um firme ponto de referência (Lc 3,14) que, sem dúvida, teve que testemunhar, apontar e ensinar a Cristo, isto é, sua doutrina teve que ser genuinamente neotestamentária e evangélica, já que deveria conduzir a Cristo um povo justo e perfeito. E ele confirma o ofício dos soldados, dizendo que devem contentar-se com seu soldo. Caso tivesse sido acristão usar a espada, deveria tê-lo censurado e admoestado a abandonarem soldo e espada, ou então não os teria instruído devidamente na fé cristã. De modo semelhante [procedeu] também São Pedro, quando pregou Cristo a Cornélio (At 10). Não lhe ordenou que abandonasse seu cargo, o que deveria ter feito, caso fosse um empecilho para a vida cristã de Cornélio. Além disso já recebe o Espírito Santo antes de ser batizado. São Lucas também o louva como homem justo já antes da pregação de Pedro, sem recriminá-lo por ser centurião de legionários e do imperador pagão. O que o Espírito Santo tolerou em Cornélio, sem o repreender, isso também nós devemos tolerar.

O mesmo exemplo também dá o difícil mouro Eunuco em At 8,26s., ao qual o evangelista Filipe converteu e batizou, consentindo em que permanecesse em seu cargo e retornasse para casa, embora sem espada não pudesse desempenhar tão importante ministério no governo da rainha na Mauritânia. O mesmo se deu com o procônsul de Chipre, Sérgio Paulo, em At 13,7s., ao qual Paulo converteu e, não obstante, consentiu que permanecesse no cargo de procônsul entre e sobre os gentios. Assim agiram também muitos santos mártires: obedecendo aos imperadores pagãos de Roma, foram para a guerra sob seu comando e também mataram, sem dúvida, pessoas para a manutenção da paz, como se escreve a respeito de São Maurício, Acácio, Gereão e muitos outros sob o Imperador Juliano[22].

Além disso está aí a clara e convincente passagem de São Paulo em Rm 13,1, onde diz: "A autoridade é instituída por Deus". *Igualmente*: "Não é sem motivo que a autoridade traz a espada. Ela é servidora de Deus em teu benefício, uma vingadora daquele que pratica o mal" (Rm 13,4). Por favor, não sejas tão atrevido a ponto de dizeres que um cristão não pode desempenhar a obra, ordem e criação do próprio Deus. Nesse caso também terias que dizer que um cristão também não pode comer e beber e se casar, pois essas também são obras e ordens de Deus. Se, porém, são obra e criação de Deus, são boas, tão boas que cada pessoa as pode usar cristãmente e para sua satisfação, como Paulo afirma em 1Tm 4,4: "Toda a criatura de Deus é boa e nada é recusável para os que creem e reconhecem a verdade"[23]. Sob "toda" a criatura de Deus não deves entender apenas comida e bebida, vestes e calçado, mas também a autoridade e a submissão, proteção e castigo.

Resumindo: se São Paulo afirma que a autoridade é servidora de Deus, não devemos reservá-la apenas para o uso dos gentios, mas de todos os seres humanos. "Servidora de Deus" nada mais significa que a autoridade é de tal natureza que se pode servir a Deus através dela. Ora, seria acristão afirmar que há serviços para Deus que um cristão não pode ou não deve realizar, uma vez que servir a Deus não compete a ninguém mais do que ao cristão. Certamente também seria bom e necessário que todos os príncipes fossem retos e bons cristãos. Pois como serviço especial a Deus, a espada e a autoridade competem aos cristãos mais do que a qualquer outra pessoa sobre a terra. Por isso deves ter a espada ou a autoridade na mesma estima como o matrimônio, o trabalho na lavoura ou qualquer outro ofício igualmente instituído por Deus. Assim como um ser humano pode servir a Deus no matrimônio, na lavoura ou numa profissão para proveito do outro, e como deveria servir quando seu próximo o necessita, do mesmo modo pode também servir a Deus na autoridade e lhe deve servir, quando a necessidade do próximo exige. Pois são servidores e oficiais de Deus que castigam o mal e protegem o bem. Todavia, também aí deve haver liberdade [de não se envolver], caso não seja necessário, como são livres o matrimônio e o trabalho no campo, caso não sejam necessários.

Agora argumentas: Por que Cristo e os apóstolos não a exerceram? Resposta: Diz-me, por que não casou ou não se tornou sapateiro ou alfaiate? Se uma profissão ou um ofício deixa de ser bom porque o próprio Cristo não os exerceu, onde ficariam todas as profissões e ofícios com exceção do ministério da pregação, o único que desempenhou? Cristo exerceu seu ministério e ofício; com isso não repudiou a profissão de outra pessoa. Não coube a Ele usar a espada, pois cumpria-lhe desincumbir-se tão somente do ministério que rege seu reino e que serve propriamente a seu reino. Em seu reino, porém, não é necessário que alguém seja casado, sapateiro, alfaiate, lavrador, príncipe, carrasco ou oficial da justiça, também não que haja espada ou direito secular, mas apenas a palavra e o Espírito de Deus; esses governam os seus de dentro. Esse ministério Ele o desempenhou no passado e continua a desempenhá-lo: distribui continuamente o Espírito e a Palavra de Deus. E nesse ministério lhe tiveram que seguir todos os apóstolos e líderes espirituais. Pois têm tanto a fazer com a espada espiritual, a Palavra de Deus, que, para desempenharem bem esse seu ofício, têm que se abster da espada secular e deixá-la para outros, que não precisam pregar. Embora, como já foi dito, usá-lo não contradiz sua posição. Porque cada qual tem que se dedicar a sua profissão e labor.

Por isso, embora Cristo não tivesse usado a espada nem ensinado nada a respeito, basta que não a tenha proibido nem abolido, mas que a confirmou, como é suficiente que não aboliu o estado matrimonial, mas o confirmou, ainda que não tenha tomado esposa ou ensinado algo a respeito. Pois em todas as coisas tinha que apresentar-se com uma posição e obra que servisse expressamente apenas a seu reino, para que não se achasse motivo e exemplo para ensinar e crer que o Reino de Deus não pode subsistir sem matrimônio e espada, e semelhantes coisas exteriores (porque os exemplos de Cristo são necessariamente normativos), enquanto, na realidade, subsiste somente através da Palavra de Deus e do Espírito. E esse foi o verdadeiro ministério de Cristo e o teve que ser, como rei supremo nesse reino. Agora, visto que nem todos os cristãos exercem o mesmo ofício (embora o possam exercer), é justo que exerçam outra atividade exterior, com a qual também se pode servir a Deus.

De tudo isso depreende-se qual seja a correta compreensão das palavras de Cristo em Mt 5,39: "Não resistais ao mal" etc.[24] Um cristão deve ser de tal natureza que sofra todo o mal e injustiça, não se vingando, também não procurando proteção para si perante o tribunal, mas que não tenha necessidade nenhuma de autoridade e direito secular para si mesmo. Para outros, porém, pode e deve procurar desforra, justiça, proteção e auxílio, e contribuir para isso com o que puder. Além disso, a autoridade lhe deve oferecer auxílio e proteção, seja por iniciativa própria ou a pedido de outros, sem que ele próprio acuse, solicite ou apresente o motivo. Se ela não o fizer, o cristão se deixará esfolar e difamar, e não resistirá ao mal, como dizem as palavras de Cristo.

E podes ter a certeza de que esse ensinamento de Cristo não é apenas um conselho para os perfeitos, como escarnecem e mentem nossos sofistas, mas um mandamento rigoroso e válido para todos os cristãos. Deves saber que são gentios sob o nome cristão todos aqueles que se vingam ou que demandam e brigam perante o tribunal por seus bens e por sua honra. É isso mesmo, é como te digo. E não dês ouvidos ao povo e ao que é costume geral. Pois há poucos cristãos na terra, disso não tenhas dúvida. Além do mais, a Palavra de Deus é algo diferente do que é costumeiro[25].

Vês aqui que Cristo não anula a lei quando diz: "Ouvistes o que foi dito aos antepassados: olho por olho. Eu, porém, vos digo: não resistais a nenhum mal" etc. (Mt 5,38s.). Pelo contrário, interpreta o sentido da lei como deve ser compreendida. É como se dissesse: vós judeus pensais que é justo e bom perante Deus recuperar o que é vosso com justiça, e recorreis ao que disse Moisés: "Olho por olho" etc. (Ex 21,24). Eu, porém, vos digo que Moisés deu essa lei por causa dos maus, que não pertencem ao Reino de Deus, para que não se vinguem a si mesmos ou façam algo pior, mas que, por esse direito externo, sejam coagidos a deixar de coisas más, para que, em todos os casos, sejam submetidos à autoridade por um direito e regime externo. Vós, porém, deveis conduzir-vos de tal maneira que não necessites de tal direito nem o procureis. Pois, embora a autoridade secular necessite de tal lei para julgar os incrédulos, e embora vós mesmos a possais usar para julgar a outros conforme ela mesma, não deveis invocá-la nem valer-vos dela em causa própria. Pois vós tendes o reino do céu, por isso deveis deixar o reino da terra para aquele que vo-lo quer tirar.

Aqui vês que Cristo não interpreta suas palavras no sentido de abolir a lei de Moisés ou proibir a espada secular. Pelo contrário, exime os seus [da lei], não devendo usar a mesma para si próprios, mas deixá-la para os incrédulos, aos quais podem servir inclusive com seu próprio direito enquanto existirem não cristãos e pelo fato de não se poder forçar ninguém a ser cristão. Fica claro que as palavras apenas se referem aos seus pelo fato de dizer depois que devem amar os inimigos e serem perfeitos como seu Pai celestial[26]. Quem ama a seus inimigos e é perfeito abandona a lei, não tendo necessidade dela para pedir olho por olho. Mas também não se opõe aos não cristãos, que não amam a seus inimigos e querem fazer valer a lei; Ele ajuda, inclusive, para que tais leis atinjam os maus, a fim de que não façam coisas piores.

Assim, pois (creio eu), a palavra de Cristo é consentânea com as passagens que instituem a espada. O significado é o seguinte: nenhum cristão deve tomar e invocar a espada para si e sua causa. Em favor de outros, porém, pode e deve tomá-la e apelar a ela para que se impeça a maldade e se proteja a probidade. Nesse sentido o Senhor diz na mesma passagem que um cristão não deve jurar, mas que sua palavra seja "sim, sim, não, não"[27], isto é: por sua própria vontade ou prazer um cristão não deve jurar. Quando, porém, a necessidade, a conveniência, bem-aventurança e a honra de Deus o exigem, deve jurar. Assim, a serviço do outro usa o juramento proibido, da mesma maneira como para o bem do outro faz uso da espada proibida. Nesse sentido, Cristo e Paulo juram frequentemente[28] para tornarem seu testemunho e ensino útil e fidedigno para as pessoas, como também se pratica e pode praticar em acordos e contratos etc. A esse respeito diz o Sl 63,11: "São louvados quando juram por seu nome".

Agora continuas perguntando se também os oficiais da justiça, carrascos, juízes e advogados e os que são dessa área podem ser cristãos e estar em estado de graça. Resposta: Se a autoridade e a espada são serviços de Deus, como mostrado acima, deve ser serviço de Deus também tudo o quanto é necessário à autoridade para que possa usar a espada. Pois é necessário que haja alguém que prenda os maus, os acuse, degole e mate, e proteja os bons, os inocentes, defenda e salve. Portanto, se não o fazem para seus próprios fins, mas somente ajudam a executar o direito e a autoridade, para que os maus sejam coercidos, não correm perigo e podem exercer o cargo como qualquer outra pessoa exerce um ofício para ganhar o pão. Pois, como já foi dito, o amor ao próximo não olha para seus próprios interesses, também não avalia se a obra é grande ou pequena, mas apenas pergunta pela utilidade e necessidade que tem para o próximo ou para a comunidade.

Perguntas: Como assim? Não poderia eu usar a espada em meu favor e em favor de minha causa, não com a intenção de defender os próprios interesses, mas para que o mal seja castigado? Resposta: Este milagre não é impossível; no entanto, é singular e perigoso. Onde há grande riqueza de Espírito, isso bem pode acontecer. Assim lemos a respeito de Sansão, em Jz 15,11, onde diz: "Fiz a eles o que fizeram a mim", embora em Pr 24,29 se diga o contrário; "Não digas, como ele me fez a mim, assim lhe farei também". E Pr 20,22: "Não digas: Vingar-me-ei do mal". Porque Sansão havia sido chamado por Deus para combater os filisteus e livrar os filhos de Israel. Embora tivesse procurado neles um pretexto de interesse pessoal, não o fez para vingar-se a si mesmo ou buscar seus próprios interesses, mas para servir a outros e castigar os filisteus. No entanto, ninguém poderá seguir esse exemplo a não ser um cristão verdadeiro e cheio do Espírito. Quando a razão quer proceder da mesma forma, pretextará que não está buscando seus próprios interesses, mas no fundo a intenção será falsa. Portanto, torna-te primeiro igual a Sansão, e então também poderás proceder como ele.

Segunda parte – Sobre o alcance da autoridade secular

Agora chegamos à parte principal deste sermão. Tendo aprendido que a autoridade secular deve existir na terra e como ela deve ser usada de maneira cristã e para a fidelidade, temos que aprender agora qual é o alcance de seu braço e até onde se estende sua mão para que não ultrapasse seus limites e interfira no reino e no regime de Deus. É muito necessário saber isso. Pois resulta em dano insuportável e terrível quando se lhe abre espaço demais, sendo também prejudicial limitá-la em demasia. Aqui castiga pouco, lá castiga demais, embora fosse mais suportável que peque deste lado, castigando muito pouco. Pois é sempre melhor deixar um patife com vida do que matar um homem justo, já que no mundo há e tem que haver patifes, enquanto há pouca gente de bem.

Antes de mais nada devemos anotar os dois grupos de filhos de Adão, um no Reino de Deus sob Cristo, o outro do mundo sob a autoridade (como dito acima); têm dois tipos de lei. Pois todo reino deve ter suas próprias leis e direitos, e sem lei não pode existir reino nem regime algum, como o ensina suficientemente a experiência diária. O regime secular tem leis que abrangem apenas corpo e bens e outras coisas exteriores na terra. Pois sobre a alma Deus não pode nem quer deixar ninguém governar, a não ser somente Ele. Logo, onde a autoridade secular se atreve a impor uma lei à alma, aí ela interfere no regime divino e somente seduz e corrompe as almas. Vamos esclarecer isso de maneira tal que se torne palpável, para que nossos aristocratas, os príncipes e bispos, vejam quão insensatos são ao pretenderem, com suas leis e preceitos, forçar as pessoas a crerem desta ou daquela maneira.

Quando se impõe uma lei humana à alma, exigindo que creia nisto ou naquilo, como o quer a referida pessoa, é certo que ali não está a Palavra de Deus. Se não está presente a Palavra de Deus, é incerto se Deus assim o quer. Pois quando Ele não o ordena, não podemos ter a certeza de que lhe agrada. Pelo contrário: tem-se a certeza de que não agrada a Deus. Pois quer que nossa fé se fundamente apenas e exclusivamente em sua palavra divina, como diz em Mt 16,18: "Sobre esta rocha quero edificar minha Igreja", e Jo 10,27s.: "Minhas ovelhas ouvem minha voz e me conhecem, mas de modo algum ouvirão a voz do estranho, antes fugirão dele". Disso se conclui que com tal mandamento injurioso a autoridade secular impele as almas à morte eterna. Pois obriga a crer como coisa certa e seguramente agradável a Deus o que, na verdade, é inseguro e seguramente desagrada a Deus, porque não há palavra clara de Deus que o abone. Pois quem tem por certo o que é incorreto e inseguro nega a verdade, que é o próprio Deus, e crê na mentira e no erro: tem por certo o que é incorreto.

Por isso é o cúmulo da loucura quando ordenam que se creia na Igreja, nos pais da Igreja, nos concílios, mesmo quando não há a Palavra de Deus. São os apóstolos do diabo que ordenam tais coisas, e não a Igreja. Pois a Igreja não prescreve nada se não está segura de que é Palavra de Deus; assim diz São Pedro: "Se alguém fala, fale de acordo com a Palavra de Deus" [1Pd 4,11]. Estão longe de provar que as decisões dos concílios sejam Palavra de Deus. Muito mais insensato, porém, é quando se diz que os reis e príncipes e a grande massa assim o creem[29]. Por favor, não somos batizados em nome de reis, príncipes ou da multidão, mas no nome de Cristo e do próprio Deus. Também não nos chamamos reis, príncipes ou multidão; nós nos chamamos cristãos. Ninguém pode ou deve dar ordens à alma, a não ser que saiba mostrar-lhe o caminho do céu. Isso, porém, nenhum ser humano pode, mas somente Deus. Portanto, nas questões que dizem respeito à bem-aventurança da alma, nada deve ser ensinado ou aceito a não ser a Palavra de Deus.

Por outro lado, mesmo sendo insensatos grosseiros, têm que admitir que não têm poder sobre as almas. Pois nenhum ser humano pode matar uma alma ou ressuscitá-la, conduzi-la ao céu ou ao inferno. E, se no-lo não quiserem acreditar, Cristo o demonstra categoricamente, ao afirmar em Mt 10,28: "Não temais os que matam o corpo e que depois nada mais têm o que fazer. Temei, antes, aquele que depois de haver matado o corpo tem o poder de condenar ao inferno". Creio que aqui se evidencia com suficiente clareza que a alma é colocada fora do alcance dos homens e posta sob o poder exclusivo de Deus. Dize-me agora: qual a inteligência da cabeça que ordena algo para o que não tem autoridade? Quem não chamaria de louco alguém que ordenasse á lua que brilhe quando aprouver à referida pessoa? Que bonito seria se os de Leipzig quisessem impor leis a nós de Wittenberg, ou, vice-versa, nós de Wittenberg aos de Leipzig[30]? Certamente se lhe daria heléboro em sinal de agradecimento, para limparem o cérebro e se livrarem do resfriado. Não obstante, de momento, nosso imperador e príncipes agem dessa maneira e permitem que papa, bispos e sofistas os induzam – um cego conduzindo outro[31] – a ordenar a seus súditos que creiam sem palavra de Deus, como bem lhes parece. E, mesmo assim, querem ser chamados de príncipes cristãos. Que Deus nos livre!

Além do mais, pode-se reconhecer essa verdade no seguinte: afinal, qualquer autoridade deve ou pode agir somente onde consegue ver, reconhecer, julgar, opinar, modificar ou mudar. Pois que juiz seria este que fosse julgar às cegas assuntos que não ouve, nem vê? Dize-me, pois, como pode um ser humano ver, conhecer, julgar, sentenciar ou mudar os corações? Isso está reservado apenas a Deus, como diz o Sl 7,9: "Deus sonda os corações e os rins". *Igualmente* (Sl 7,8): "O Senhor julga as pessoas". E em At 10 (*sc.* 1,24): "Deus conhece os corações". E mais Jr 1 (*sc.* 17,9): "Mau e inescrutável é o coração humano; quem o conhecerá? Eu, o Senhor, que esquadrinho corações e rins". Para emitir um juízo um tribunal deve e tem que estar absolutamente seguro e ter certeza do que se trata. No entanto, os pensamentos e intenções a ninguém são manifestos, a não ser a Deus. Por isso, é vão e impossível ordenar a alguém ou forçá-lo a crer nisto ou naquilo. Para isso é necessário outro método; a violência nada alcança. Fico pasmado com os grandes loucos, pois todos eles afirmam: *De occultis non iudicat ecclesia*, "a Igreja não julga coisas ocultas"[32]. Se, pois, o regime espiritual da Igreja só governa as coisas notórias, como então se aventura o insensato poder secular a julgar e dominar uma coisa tão oculta, espiritual e secreta como a fé?

Além disso, cada qual corre seu próprio risco quanto ao que crê e tem que procurar para si mesmo uma maneira de crer corretamente. Assim como alguém outro não pode ir ao inferno ou ao céu em meu lugar, tampouco pode crer ou deixar de crer por mim. Não me pode abrir ou fechar o céu ou o inferno, nem é capaz de obrigar-me a crer ou descrer. Crer ou não crer é assunto da consciência de cada um, e isso não vem em prejuízo da autoridade secular. Por isso ela também deve contentar-se e ocupar-se com seus negócios e deixar que cada um creia nisto ou naquilo, como puder e quiser, e não coagir ninguém. Pois a fé é um ato livre, ao qual não se pode forçar ninguém. Sim, é, inclusive, uma obra divina no Espírito. Não se pode nem pensar que alguma autoridade externa possa impor ou criá-la. Daí vem o conhecido provérbio citado também em

Agostinho[33]. Não se pode nem se deve obrigar alguém à fé.

As cegas e pobres pessoas não veem como é vão e inútil o que se propõem. Pois, por mais rigorosa que seja sua ordem e por mais que se enfureçam, nada conseguem além de compelir as pessoas a lhes obedecerem com a boca e com a mão. O coração, porém, jamais conseguirão obrigar, ainda que se arrebentem. É verdadeiro o que diz o provérbio: "Pensamentos não pagam impostos". Por que, pois, insistem em obrigar as pessoas a crerem com o coração, vendo que é impossível? Com isso forçam com violência as débeis consciências a mentir, negar e dizer algo diferente do que sentem no coração e acarretam para si horríveis pecados alheios[34], pois todas as mentiras e falsos testemunhos manifestados por tais consciências débeis recaem sobre aquele que lhas arranca por coação. Sempre seria mais fácil deixar que seus súditos simplesmente errassem, também quando erram [de fato], do que forçá-los a mentir e a dizer outra coisa do que têm em seu coração. Também não é justo querer combater um mal com outro pior.

Queres saber por que Deus leva os príncipes temporais a errar tão horrivelmente? Pois eu to direi: Deus lhes perverteu os sentidos e quer exterminá-los como exterminou os aristocratas eclesiásticos. Pois meus inclementes senhores, o papa e os bispos, deveriam ser bispos e pregar a Palavra de Deus. Nesse ponto, porém, são omissos e converteram-se em senhores seculares e governam com leis que concernem somente ao corpo e aos bens. Inverteram as coisas maravilhosamente. Deveriam governar interiormente as almas por meio da palavra divina. Mas governam exteriormente castelos, cidades, países e pessoas, e torturam as almas com trucidações indizíveis. Da mesma maneira, os senhores seculares deveriam governar exteriormente o país e o povo. Isso, porém, não fazem. Nada mais sabem fazer do que esfolar e raspar, cobrando imposto sobre imposto, taxa sobre taxa, soltando aqui um urso, ali um lobo. Além disso, não conhecem nem fidelidade nem verdade, e portam-se de uma maneira que até ladrões e bandidos considerariam excessiva. Seu regime secular é tão decadente como o dos tiranos eclesiásticos. Por isso Deus também lhes perverte a mente, de modo que procedem de forma absurda, arvorando-se a exercer domínio espiritual sobre as almas, enquanto os outros querem governar secularmente. Com isso cobrem-se tranquilamente de pecados alheios, do ódio de Deus e de todo o mundo, até perecerem junto com os bispos, padres e monges, um patife com o outro. Depois dão a culpa de tudo ao Evangelho, e, ao invés de se confessarem, blasfemam a Deus, dizendo que tudo isso é resultado de nossa pregação; quando, na verdade, é e sempre será o que mereceu sua perversa maldade, como procederam também os romanos quando foram destruídos[35]. Aí tens o decreto de Deus contra os grandes palermas. Mas não hão de acreditar nisso, para que esse grave decreto divino não seja frustrado por seu arrependimento.

Agora objetas: Paulo disse em Rm 13,1 que toda a alma deve ser sujeita ao poder e à autoridade; e Pedro diz que devemos ser sujeitos a toda a instituição humana (1Pd 2,13). Resposta: Aí me vens bem a propósito, pois esses versículos vêm a meu favor. São Paulo fala da autoridade e do poder superior.

Agora, acabaste de ouvir que ninguém pode governar sobre a alma, a não ser Deus. Portanto, São Paulo não pode falar de obediência, a não ser daquela que decorre do poder. Disso se depreende que ele não fala da fé, como se o poder secular tivesse a autoridade de governar a fé, mas, sim, dos bens externos, aos quais deve ordenar e governar na terra. Isso igualmente demonstram com toda clareza suas palavras, quando limita o poder e a obediência, dizendo; "Pagai a cada um o que lhe é devido: o tributo a quem se deve tributo, honra a quem se deve honra, respeito a quem se deve respeito" (Rm 13,7). Observa que a obediência e o poder temporais se referem apenas exteriormente a tributo, imposto, honra e respeito. Além disso, quando afirma: "A autoridade não existe para temor quando se faz o bem, mas quando se faz o mal" (Rm 13,3), limita-lhes ainda mais a competência: ela, aí, não para dominar a fé e a Palavra de Deus, mas a obra má.

A isso se refere também São Pedro quando fala de "instituição humana" (1Pd 2,13). Ora, a instituição humana não pode estender-se ao céu e sobre a alma, mas somente sobre a terra, o convívio externo dos seres humanos, onde pessoas podem ver, reconhecer, julgar, opinar, castigar e salvar.

O próprio Cristo fez essa distinção claramente e a resumiu brevemente quando disse em Mt 22,21: "Dai a César o que é de César e a Deus o que é de Deus". Se o poder imperial se estendesse ao reino e poder de Deus e não fosse algo à parte, não teria distinguido dessa maneira. Pois, como já disse, a alma não está sob o poder do imperador. Ele não a pode instruir nem conduzir, nem matar, nem ressuscitar, nem ligar, nem desligar, nem julgar, nem condenar, nem manter, nem deixar[36]. Tudo isso deveria poder fazer, se tivesse autoridade sobre ela, para dar-lhe ordens e impor-lhe leis. Sobre corpo, bens e honra, porém, ele tem poder de o fazer, pois isso é de sua competência.

Tudo isso Davi já havia resumido em uma breve e bela frase, ao dizer no Sl 113 (*sc.* 115,16): "O céu confiou-o ao Senhor do céu, mas a terra deu-a Ele aos filhos dos homens", o que quer dizer: sem dúvida, a pessoa humana recebeu poder de Deus sobre o que está na terra e pertence ao reino terreno e temporal. O que, porém, se relaciona com o céu e o reino eterno está sob a exclusiva autoridade do Senhor do céu. Moisés também não esqueceu esse fato, pois diz em Gn 1,26: "Disse Deus: Façamos homens que dominem sobre os animais na terra, sobre os peixes na água, sobre os pássaros no ar". Aí se atribuir ao ser humano apenas o regime externo. Em resumo: é o que afirma São Pedro em At 4 (*sc.* 5,29): "Deve-se obedecer mais a Deus do que aos homens". Com isso limita claramente o poder secular. Pois, caso tivéssemos que cumprir tudo o que quer a autoridade secular, teria sido dito em vão: "Deve-se obedecer mais a Deus do que aos homens".

Se, pois, teu príncipe ou senhor temporal te ordenar que te coloques do lado do papa, ou que creias nisto ou naquilo, ou se te ordenar entregar livros, deves dizer-lhe: "Lúcifer[37] não tem direito de assentar-se ao lado de Deus. Amado senhor, é meu dever obedecer-vos com corpo e bens. Dai-me ordens na medida de vosso poder na terra, e obedecerei. Contudo, se me ordenais crer e entregar livros, não obedecerei. Pois nesse caso sois tirano e vos excedeis. Dais ordens onde não tendes nem direito nem poder etc." Se, em consequência, te tira os bens e castiga essa desobediência, bem-aventurado serás! Dá graças a Deus por seres digno de sofrer pela palavra e vontade divina. Deixa esse louco esbravejar. Ele encontrará seu juiz. Pois eu te digo: caso não te opuseres a ele e permitires que te tome a fé e os livros, certamente terás negado a Deus.

Para dar um exemplo: Em Meissen, na Baviera, em Brandenburgo e outros lugares, os tiranos publicaram um decreto segundo o qual se deveriam entregar os Novos Testamentos nas repartições públicas[38]. Seus súditos devem proceder da seguinte forma: não devem entregar nem uma folhinha, nenhuma letra sequer, sob pena de perderem a salvação eterna. Pois quem o faz, entrega Cristo nas mãos de Herodes, pois os príncipes procedem como os assassinos de Cristo, como Herodes. Por outro lado, devem tolerar que se ordene revistar-lhes as casas e levar livros e bens pela força. Ao mal não se deve resistir, mas tolerá-lo. No entanto, não se deve aprová-lo nem colaborar com ele ou seguir e obedecer-lhe sequer com um passo ou com um dedo. Pois tais tiranos se comportam como devem comportar-se os príncipes deste mundo: são príncipes mundanos. O mundo, porém, é inimigo de Deus. Por isso têm que fazer o que é contra Deus e agradável ao mundo, para que, de forma alguma, percam seu bom nome, mas continuem sendo príncipe mundanos. Por isso, não te espantes quando se enfurecem e arremetem contra o Evangelho que nem loucos. Eles têm que honrar seu título e seu nome.

Deves saber que, desde o início do mundo, príncipe sábio é ave rara, e mais raro ainda um príncipe honesto. Em geral são os maiores tolos e os piores patifes da terra. Por isso, sempre tem que se esperar deles o pior e pouca coisa boa, especialmente em relação às coisas divinas, que dizem respeito à salvação da alma. Pois são carcereiros e carrascos de Deus, e sua ira divina usa-os para castigar os maus e manter a paz externa. É um grande Senhor o nosso Deus. Por isso necessita de tais carrascos e algozes nobres, ilustres e ricos, e quer que tenham grande abundância de riqueza, honra e temor da parte de todos. É do agrado de sua vontade divina que chamemos a seus carrascos de clementíssimos senhores, caiamos a seus pés e lhes sejamos submissos enquanto não se excederem em seus cargos, querendo transformar-se de carrascos em pastores. Quando um dia aparece um príncipe decente, que seja sábio, honesto e cristão, estamos diante de uma das grandes maravilhas e diante do mais precioso sinal da graça divina sobre esse país. Pois, em geral, vale a sentença de Is 3,4: "Eu lhes darei meninos por príncipes e boquiabertos serão seus senhores". E Os 13,11: "Eu te darei rei na ira, e to tirarei novamente com furor". O mundo é demasiado mau e não merece ter muitos príncipes sábios e honestos. Rãs precisam da cegonha[39].

Novamente objetas: o poder temporal não obriga a crer. Apenas impede exteriormente que as pessoas sejam seduzidas por doutrina falsa. Haveria outra maneira de resistir aos hereges? Resposta: Isso é função dos bispos, é a eles que foi conferida essa tarefa[40], e não aos príncipes. Pois a heresia jamais pode ser combatida com a violência. Para isso precisa-se de outro jeito. Isso não é briga ou questão que se resolve com a espada. Aqui a arma é a Palavra de Deus. Se essa não tiver êxito, certamente o poder secular também não o terá, mesmo que inunde o mundo com sangue. Heresia é assunto espiritual que não se pode destruir com ferro, nem queimar pelo fogo, nem afogar em água. Para isso existe apenas a Palavra de Deus; esta o faz, como diz Paulo em 2Cor 10,4s.: "Nossas armas não são carnais, mas poderosas em Deus para destruir todo plano e tudo o que é altaneiro, que se volta contra o conhecimento de Deus, e subordinamos todo o pensamento ao serviço de Cristo".

Aliás, nada melhor para fortalecer a fé e a heresia do que combatê-las com pura violência, sem a Palavra de Deus. Pois é certo que tal poder não se apoia em causa justa e que age contra o direito, porque procede sem a Palavra de Deus e sabe apenas recorrer à força bruta, como o fazem os animais irracionais. Também nos assuntos terrenos não se pode agir com a violência, sem que antes a injustiça tenha sido comprovada em processo judicial. Quanto menos é possível agir com violência nessas coisas espirituais, sem direito nem palavra de Deus. Vê que belos e sábios senhores são esses! Querem exterminar a heresia. Com seu procedimento, porém, usam somente meios que robustecem o adversário, tornando-se eles mesmos suspeitos e justificando aqueles. Amigo, se quiseres exterminar a heresia, tens que encontrar o jeito certo. Antes de mais nada tens que arrancá-la do coração e afastá-la radicalmente com o consentimento [das pessoas]. Com violência não mudarás nada; pelo contrário, somente a fortalecerás. Que proveito terás se fortaleceres a heresia nos corações e a enfraqueceres apenas exteriormente na língua, forçando [as pessoas] a mentir? A Palavra de Deus, porém, ilumina os corações, e com isso toda a heresia e erro saem do coração por si mesmos.

O Profeta Isaías anunciou essa destruição da heresia no capítulo 11,4: "Ferirá a terra com a vara de sua boca, e com o sopro de seus lábios matará o perverso". Aí vês que, se quisermos exterminar ou converter o ímpio, isso terá que ser feito com a boca. Resumo dos resumos: tais príncipes e tiranos não sabem que combater a heresia significa lutar contra o diabo, que tomou posse dos corações com seu engano, como diz Paulo em Ef 6,12: "Nossa luta não é contra sangue e carne, mas contra a maldade espiritual, contra os príncipes que governam esta terra" etc. Logo, enquanto não se expulsa e afugenta o diabo dos corações, isso é o mesmo que querer destruir seus instrumentos com a espada ou fogo ou lutar contra um raio com uma palha. De tudo isso Jó 41,18 deu amplo testemunho, dizendo que o diabo tem o ferro por palha e não teme nenhum poder na terra. Também a experiência o ensina. Mesmo que se queimem todos os judeus e hereges à força, nenhum deles é, nem será convencido nem convertido.

No entanto, um mundo como este precisa de tais príncipes, onde nenhuma parte cumpre a função que lhe cabe. Os bispos hão de abandonar a Palavra de Deus e não governarão as almas com ela. Confiam esse dever aos príncipes seculares, para que estes o executem pela espada. Por outro lado, os príncipes temporais hão de tolerar, ou praticarão eles mesmos, usura, roubo, adultério e outras obras más, para depois mandarem os bispos castigarem essas coisas com bulas e excomunhão, invertendo, dessa forma, maravilhosamente, o sapato: as almas governam-nas com ferro, e o corpo, com cartas, de modo que os príncipes temporais governam espiritualmente, e os príncipes espirituais, temporalmente. Que outra coisa tem o diabo a fazer na terra, senão fazer gato e sapato de seu povo? São esses os nossos príncipes cristãos que defendem a fé e devoram o turco. De fato, bons companheiros, nos quais se pode confiar! Uma coisa conseguirão com essa inteligência maravilhosa: quebrarão o pescoço e lançarão o país e o povo em desgraça e miséria.

Quisera aconselhar com toda lealdade essa gente desvairada, para que se cuide do pequeno versículo do Sl 107(40): "Derramou seu desprezo sobre os príncipes"[41]. Juro-vos por Deus! Se esquecerdes que este pequeno versículo se cumprirá em vós, estais perdidos, mesmo que cada um seja poderoso como o turco. Vosso bufar e esbravejar de nada valerão. Isso já começou em grande parte. Pois há poucos príncipes que não sejam considerados loucos ou patifes. Isso porque se comprovam como tais e o homem simples começa a compreender as coisas. O flagelo dos príncipes (que Deus denomina de *contemptum*) se difunde amplamente entre o povo e o homem simples, e temo que não possa ser reprimido se os príncipes não se conduzirem como príncipes e reiniciarem a governar com juízo e limpeza. Não se tolerará, não se pode nem se quer tolerar vossa tirania e caprichos por mais tempo. Queridos príncipes e senhores, observai isso. Deus não o tolerará por mais tempo. O mundo já não é mais aquele como quando caçáveis e perseguíeis as pessoas como animais de caça. Por isso, deixai vossos crimes e violência e pensai em proceder com justiça. E dai à Palavra de Deus o curso livre que lhe compete, tem que e deve ter, e que não podereis impedir. Se há heresia, que seja superada com a Palavra de Deus, como convém. Se, porém, desembainhais por demais a espada, cuidai para que não venha alguém e vos mande embainhá-la, e isso não em nome de Deus[42].

No entanto, poderás argumentar: se não deve haver espada secular entre os cristãos, como governá-los exteriormente? Deve, pois, haver autoridade também entre os cristãos. Resposta: Entre cristãos não deve nem pode haver autoridade alguma, pois cada qual está submisso ao outro, como diz Paulo em Rm 12 (*sc.* Fl 2,3): "Cada qual considere o outro seu superior", e 1Pd 5: "Sede todos submissos uns aos outros". Isso é o que também Cristo quer: "Quando fores convidado para o casamento, toma o último lugar" (Lc 14,10). Entre os cristãos não há superior a não ser o próprio Cristo. Que autoridade pode haver quando todos são iguais e têm o mesmo direito, poder, bem e honra, e quando ninguém deseja ser superior, mas subordinado do outro? Entre pessoas assim não se pode instituir autoridade alguma, ainda que se quisesse, porque sua natureza não suporta ter superiores, visto que ninguém quer e pode ser superior. Onde, porém, houver gente desse tipo, ali também não há verdadeiros cristãos.

Quem são, pois, os sacerdotes e bispos? Resposta: Seu regime não é de autoridade ou poder, mas serviço e função. Pois não são superiores e melhores do que outros cristãos[43]. Por isso não devem impor lei ou mandamento a outros sem a vontade e consentimento deles. Seu governo não é outra coisa do que pregar a Palavra de Deus e com ela conduzir os cristãos e vencer a heresia. Pois, como já disse, os cristãos não podem ser governados a não ser com a Palavra de Deus. É assim que diz Paulo em Rm 10,17: "A fé vem do ouvir, o ouvir, porém, vem pela Palavra de Deus"[44]. Aqueles, pois, que não creem, não são cristãos, nem pertencem ao Reino de Cristo, mas ao reino secular, para que sejam dominados e governados pela espada e pelo regime exterior. Os cristãos fazem todo o bem *de per si*, sem pressão, e se contentam com a Palavra de Deus. Todavia, a respeito desse tema escrevi muito[45] e frequentemente.

Terceira parte

Agora que sabemos até onde se estende a autoridade secular, é tempo de dizer como a deve usar o príncipe, isso por amor daqueles que querem ser príncipes e senhores cristãos e que também desejam chegar à outra vida, que, por sinal, são muito poucos. O próprio Cristo descreve a índole dos príncipes temporais em Lc 22,25, dizendo: "Os príncipes seculares dominam, e os que têm autoridade procedem com violência". Pois, tendo nascido nobres ou tendo sido eleitos, creem ter o direito de serem servidos e de governar com violência. Agora, o que quiser ser príncipe cristão tem que, realmente, desistir da ideia de querer governar e proceder com violência. Pois maldita e condenada é toda a vida que se vive e busca em benefício próprio. Malditas todas as obras não inspiradas pelo amor. Elas se inspiram no amor quando não se deixam guiar pelo prazer, proveito, honra, comodidade e salvação da própria pessoa, mas quando procuram, de todo o coração, o proveito, honra e salvação de outros.

Por isso não quero dizer nada aqui a respeito de assuntos seculares e leis da autoridade. Pois isso é um tema muito amplo e, além disso, já há livros jurídicos em demasia. É claro que, quando o príncipe não é mais entendido do que seus juristas e quando sua sabedoria não passa do que se encontra nos livros jurídicos, certamente governará segundo o ditado de Pr 28,16: "O príncipe falto de inteligência oprimirá muito com injustiça". Pois por melhores e justas que sejam as leis, todas elas têm reserva: não podem ser aplicadas em situações imprevistas[46]. Por isso um príncipe deve dominar o direito com a mesma firmeza com que conduz a espada, e deve resolver com critérios próprios onde e quando o direito deve ser aplicado com rigor e onde abrandado. A sensatez deve, pois, sempre governar o direito e permanecer a lei máxima e o mestre de todo o direito. É o caso do pai de família: mesmo que determine tempo e medida de trabalho e alimentação para seus serviçais e filhos, deve manter essas disposições sob seu domínio. Tem que poder modificar ou relaxá-las, caso seu empregado adoeça, seja preso, se atrase, seja enganado ou impedido de outra maneira, e não pode tratar os enfermos com o mesmo rigor com que trata os sãos. Digo isso para que não se pense que é suficiente e digno de louvor observar o direito escrito e os juristas. É necessário algo mais.

Como deve proceder um príncipe se não é tão inteligente e tem que aceitar a orientação de juristas e livros jurídicos? Resposta: Por isso eu disse que a condição de príncipe é perigosa. Se ele próprio não tem inteligência suficiente para dirigir seu direito e seus conselheiros, aí as coisas andam conforme a sentença de Salomão: "Ai da nação que tem uma criança por príncipe" (Ecl 10,16). Também Salomão reconheceu isso. Por isso desesperou de todo o direito que Moisés havia prescrito também para ele com o auxílio de Deus, e também de todos os seus príncipes e conselheiros e dirigiu-se ao próprio Deus, pedindo um coração sábio para governar o povo[47]. Um príncipe deve imitar esse exemplo, proceder com temor e não confiar nos livros mortos, nem em cabeças vivas, mas ater-se somente a Deus, orar com insistência por entendimento reto – o que é melhor que todos os livros e mestres –, para governar seus súditos com sabedoria. Por isso não saberia prescrever ao príncipe nenhuma lei. Quero apenas instruir seu coração sobre qual deve ser sua mentalidade e disposição em todas as questões de direito, nos conselhos, juízos e negócios. Onde proceder dessa maneira, certamente Deus lhe concederá que possa levar a bom termo, de modo piedoso, todas as questões jurídicas, conselhos e negócios.

Em primeiro lugar, deve tomar em consideração seus súditos e conseguir a correta disposição de seu coração. Isso fará quando concentrar todos os seus pensamentos no intuito de ser-lhes útil e proveitoso. Não deve pensar: "A terra e as pessoas são minhas; farei o que me agrada", mas, sim: "Pertenço à terra e às pessoas. Farei o que é bom e proveitoso para elas. Não procurarei fazer ostentação e ser dominador, mas como proteger e defendê-las com boa paz". Fixará seus olhos em Cristo e dirá: "Eis que Cristo, o príncipe supremo, veio e me serviu; não procurou poder, bem e honra em mim, mas viu minha necessidade e fez tudo para que eu tenha poder, bem e honra por seu intermédio. Por isso farei o mesmo. Não procurarei meu interesse em meus súditos, mas o deles. Também eu lhes servirei assim em meu cargo. Quero proteger, ouvir e defendê-los e governar apenas para que tenham bens e proveito, e não eu". É assim, pois, que um príncipe se desprenderá de seu poder e autoridade, e cuidará das necessidades de seus súditos e agirá como se tratasse de suas próprias necessidades. Pois foi desse modo que Cristo procedeu conosco, e essas são as verdadeiras obras de amor cristão.

Agora, porém, retrucas: Quem, então, quererá ser príncipe? Com isso a posição de um príncipe seria a mais miserável sobre a terra. A função lhe acarretaria muito esforço, trabalho e desgosto. Onde ficariam os prazeres principescos, com bailes, caçadas, torneios, jogos e outros prazeres mundanos? A isso respondo: No momento não estamos ensinando como deve viver um príncipe secular, mas como um príncipe secular pode conduzir-se cristãmente para poder chegar ao céu. Quem é que não sabe que príncipe é caça rara no céu? Também não falo porque tivesse a esperança de que os príncipes seculares me levariam a sério, mas apenas para o caso de que houvesse algum que também quisesse ser cristão e desejasse saber como se conduzir. Pois estou plenamente convicto de que a Palavra de Deus não se orientará nem se guiará pelos príncipes; os príncipes é que devem orientar-se por ela. Basta-me mostrar que não é impossível que um príncipe seja cristão, mesmo que isso seja raro e difícil. Pois se cuidassem que seus bailes, caçadas e torneios não prejudicassem a seus súditos, e se, além disso, exercessem seu cargo com amor a eles, Deus não seria tão rigoroso a ponto de não lhes permitir bailes, caçadas e torneios. Se, porém, de acordo com seu cargo, dedicassem cuidados a seus súditos, certamente descobririam por si mesmos que muito baile, caçada, torneio e jogos deveriam ser deixados de lado.

Em segundo lugar, um príncipe deve precaver-se dos grandes senhores, de seus conselheiros, e conduzir-se em relação a eles de tal maneira que não desconsidere nenhum deles, mas também não confie em nenhum a ponto de pôr em suas mãos as decisões. Pois Deus não tolera nenhuma das duas coisas. Certa vez falou por meio de uma mula[48]. Por isso não se deve desprezar ninguém, por insignificante que seja. Por outro lado, expulsou do céu o anjo supremo[49]. Por isso não se pode confiar em pessoa alguma, por mais inteligente, santa e grande que seja. Deve-se, porém, ouvir a todos e esperar para ver por meio de quem Deus quer falar e agir. Pois a maior inconveniência que existe nas cortes é quando um príncipe subordina sua razão aos grandes senhores e bajuladores, deixando ele próprio de governar. Pois, quando um príncipe comete um erro ou faz uma loucura, isso não prejudica apenas a um homem; o país e o povo inteiro têm que sofrer por causa dessa loucura. Por isso um príncipe deve confiar em seus poderosos e deixá-los agir de tal modo que ainda possa ter as rédeas em suas mãos. Não pode embalar-se em segurança e dormir, mas deve inspecionar e viajar pelo país (como fez Josafá[50]), assegurando-se de como se governa e julga. Assim, ele próprio descobrirá que não se deve confiar plenamente em nenhuma pessoa. Pois não penses que alguém outro irá preocupar-se tanto contigo e com teu país como tu próprio, a não ser que esteja cheio do Espírito e seja um bom cristão. Um homem natural não o faz. Já que não sabes se é cristão ou quanto tempo o será, não podes fiar-te nele com segurança.

E previne-te, acima de tudo, contra os que dizem: Mas, meu Senhor, Vossa Mercê não confia em mim mais do que isso? Quem quererá servir a Vossa Mercê [a não ser eu]? Este certamente não é sincero. Quer mandar no país e transformar-te em paspalhão. Se fosse um cristão correto e honesto ficaria contente por não confiares nele e te elogiaria e amaria pelo fato de o controlares tão bem. Pois, como age de acordo com a vontade de Deus, quer e pode tolerar que sua ação seja conhecida por ti e por todos, como diz Cristo em Jo 8 (*sc.* 3,21): "Quem pratica o bem aproxima-se da luz, para que suas obras sejam manifestas, porque feitas em Deus". Esse, porém, quer cegar-te e agir na escuridão, como diz Cristo na mesma passagem: "Quem pratica o mal, evita a luz, a fim de que suas obras não sejam castigadas" (Jo 3,20). Por isso, cuidado com ele. E se ele murmurar, diga-lhe: Meu caro, não te faço nenhuma injustiça. Deus não quer que eu confie em mim ou em qualquer outra pessoa. Briga com Ele por te haver criado apenas como homem. Embora, ainda que fosses um anjo, também não confiaria plenamente em ti, pois também em lúcifer não se pode confiar. Pois se deve confiar somente em Deus.

Que nenhum príncipe pense que terá melhor sorte do que Davi, exemplo de todos os príncipes. Ele tinha um conselheiro de nome Aquitofel; este era tão sábio que o texto menciona que tudo o que ele dizia tinha o mesmo valor do que perguntar ao próprio Deus[51]. Não obstante, caiu e chegou ao extremo de querer trair, matar e eliminar a seu próprio senhor Davi. Naquela ocasião Davi teve que aprender que não se deve confiar em ninguém. Por que teria Deus deixado acontecer e transcrever exemplo tão terrível? Ele o fez para prevenir os príncipes e senhores contra a mais perigosa desgraça que lhes pode suceder, a fim de que não ponham sua confiança em ninguém. É muito lamentável quando nas cortes governam aduladores, ou o príncipe se fia em outros, sendo dominado por eles, deixando que cada um faça o que quer.

Agora dizes: Se não devemos confiar em ninguém, como se há de governar um país e seus habitantes? Resposta: Deves dar ordens e arriscar, mas não deves confiar e fiar-te em outros, a não ser em Deus somente. Naturalmente tens que confiar os cargos a alguém e arriscar com ele, mas não deves ter mais confiança nele do que numa pessoa que pode falhar. Por isso tens que continuar vigiando e não podes dormir. É o caso do carroceiro. Ele confia nos cavalos e na carroça que dirige. Contudo, não os deixa andar sozinhos. Segura as rédeas e o relho na mão e não dorme. Recorda os antigos provérbios que, sem dúvida, são fruto da experiência e merecem confiança: "O olho do amo engorda o cavalo". E: "As pegadas do amo adubam a terra". Isto é, quando o próprio senhor não se ocupa com as coisas e se fia em conselheiros e empregados, aí as coisas não andam bem. Também Deus o quer assim e o deixa acontecer, para que os senhores sejam obrigados, por necessidade, a se ocuparem eles mesmos com seu cargo, assim como também cada pessoa tem que se ocupar com sua profissão e toda criatura se ocupa com sua tarefa. Caso contrário, os senhores se transformam em porcos gordos e pessoas inúteis que não servem a ninguém, a não ser a si próprios.

Em terceiro lugar, um príncipe deve ter o cuidado de agir corretamente com os infratores. Neste ponto tem que ser muito prudente e sábio, para castigar sem prejuízo para os outros. Novamente não conheço exemplo melhor do que Davi. Ele tinha um capitão de nome Joab, que cometeu dois crimes graves, matando traiçoeiramente dois capitães[52]. Por isso merecia a morte duas vezes. Mesmo assim, durante sua vida Davi não matou Joab, mas recomendou isso a seu filho Salomão[53]. Sem dúvida, agiu dessa maneira porque não o poderia ter feito sem causar maior prejuízo e escândalo. Da mesma forma também o príncipe deve castigar os maus; caso contrário, quebra um prato na tentativa de ajuntar uma colher. Por causa de uma cabeça expõe o país e o povo ao perigo e enche o país de viúvas e órfãos. Por isso não deve dar ouvidos aos conselheiros e generais que o instigam e provocam a fazer guerra, dizendo: Ah, por acaso vamos aguentar tais insultos e injustiças? Aquele que arrisca o país por causa de um castelo é muito mau cristão. Para ser breve, aqui é preciso ater-se ao provérbio: "Quem não é capaz de fazer vistas grossas, não pode governar". Portanto, seja esta a regra de um príncipe: Quando não puder castigar uma injustiça sem provocar outra maior, deixe de lado seu direito, por mais justo que seja. Não deve olhar para seu próprio prejuízo, mas para a injustiça que outros têm que sofrer em decorrência de seu castigo. Pois o que fizeram tantas mulheres e crianças para serem transformadas em viúvas e órfãos, somente para que possa vingar de uma boca inútil ou de uma mão malvada que lhe ofendeu?

Agora retrucas: Será que um príncipe não deve fazer guerras ou será que seus súditos lhe devem seguir na batalha? Resposta: Trata-se de uma questão muito complexa. Mas, para dizê-lo em poucas palavras: Para proceder cristãmente, digo que nenhum príncipe deve iniciar guerra contra seu superior, o rei, o imperador, ou quem quer que seja seu senhor feudal. Se alguém quer tirar algo, que o leve! Pois não se deve resistir à autoridade com violência, mas apenas com o testemunho da verdade. Se o levar em conta, está bem; caso contrário, não tens culpa e sofres injustiça por amor de Deus. Quando, porém, o oponente é igual ou inferior a ti ou está submisso a uma autoridade estranha, deves oferecer-lhe primeiro justiça ou paz, como o ensinou Moisés aos filhos de Israel. Se ele não o quiser, cuida de teu interesse e defende-te com violência contra violência, como Moisés o indica magnificamente em Dt 20,10s. Nesse caso não deves olhar para teus próprios interesses e como possas garantir teu poder, mas para teus súditos, aos quais deves proteção e auxílio, para que essa obra seja feita em amor. Pois, visto que todo o teu país corre perigo, tens que correr o risco e, quem sabe, Deus te ajudará para que não seja destruído tudo. E se não puderes evitar que surjam algumas viúvas e órfãos, tens que procurar evitar que não se perca tudo e que restem somente viúvas e órfãos.

Nesse caso os súditos estão obrigados a obedecer e arriscar corpo e bens; pois cada qual tem que arriscar seus bens e vida por amor do outro. Em semelhante guerra é cristão e uma obra de amor trucidar e matar os inimigos, assaltar e incendiar e fazer tudo o que causa dano, até que sejam vencidos de acordo com as regras da guerra. (Somente devemos abster-nos do pecado de violentar mulheres e jovens.) Obtida a vitória, devemos oferecer misericórdia e paz aos que se rendem e humilham. Nesse caso devemos aplicar o provérbio: "Deus ajuda ao mais forte". Foi assim que agiu Abraão ao vencer os quatro reis (Gn 14,14s.). Naquela ocasião sem dúvida matou muitos e não demonstrou misericórdia até que os venceu. Esse caso deve ser visto como missão de Deus para com ela varrer o país e expulsar os patifes malvados.

Mas como? Mesmo que um príncipe não tivesse razão, seu povo, ainda assim, estaria obrigado a lhe seguir? Resposta: Não. Pois a pessoa nenhuma convém agir contra o direito, antes devemos obedecer a Deus (que quer o direito) mais do que aos homens[54]. E se os súditos não souberem se o príncipe está com a razão? Resposta: Enquanto não o souberem e não o conseguirem descobrir, mesmo com o maior empenho, podem seguir-lhe sem perigo para suas almas. Pois em tal caso tem que aplicar-se a lei de Moisés de Ex 21,13, onde escreve que um homicida que matou alguém por ignorância ou involuntariamente deve ser absolvido pelo tribunal quando se refugia numa cidade-refúgio[55]. Pois a parte que for derrotada, tenha razão ou não, terá que aceitar [a derrota] como castigo de Deus. Mas a parte que combate e vence na mesma ignorância, deve considerar a vitória como se alguém houvesse caído do telhado e matasse um outro, entregando o assunto nas mãos de Deus. Pois para Deus não faz diferença tirar-te os bens e tua vida por meio de um senhor justo ou injusto. És sua criatura e Ele pode fazer contigo o que quiser, desde que tua consciência esteja sem culpa. Assim, o próprio Deus desculpa o Rei Abimelec (Gn 20,6), quando esse toma a mulher de Abraão; não por ter razão, mas por não saber que era a mulher de Abraão.

Em quarto lugar que, em si, deveria ser o primeiro e do qual já falamos acima: um príncipe também deveria portar-se cristãmente em relação a Deus, isto é, submeter-se a Ele em total confiança e pedir-lhe sabedoria para bem governar, como o fez Salomão[56]. A respeito da fé e da confiança em Deus, porém, já escrevi tanto que aqui não é necessário entrar mais a fundo na questão. Por isso queremos deixá-la de lado por ora e terminar com a conclusão de que o príncipe deve dividir suas atenções em quatro sentidos: 1) Em relação a Deus deve ter verdadeira confiança e [dirigir-se a Ele em] oração sincera; 2) em relação aos súditos deve agir com amor e serviço cristão; 3) em relação a seus conselheiros e plenipotenciários deve manter-se livre nas decisões e independente no discernimento; 4) em relação aos delinquentes deve mostrar seriedade e rigor moderado. Dessa maneira confirmará sua função exterior e interiormente, agradando a Deus e às pessoas. No entanto, deve estar preparado para muita inveja e sofrimento. Muito em breve a cruz pesará sobre um tal propósito.

Por fim, como apêndice, devo responder também àqueles que discutem a respeito da restituição, isto é, a respeito da devolução de bens indevidamente apropriados. Pois isso é uma tarefa geral da espada secular. Muito se escreve a respeito e procura-se muito rigor exagerado. Pretendo expor tudo resumidamente e eliminarei de vez todas as leis e prescrições rigorosas que já foram feitas a esse respeito. Não se pode encontrar nesta questão lei mais segura que a do amor. Primeiro: quando se te apresenta uma questão em que um deve devolver algo ao outro, a coisa se resolverá imediatamente se os dois forem cristãos. Pois nenhum negará ao outro o que é dele e também ninguém exigirá sua devolução. Se, porém, apenas é cristão, a saber, aquele ao qual deve ser feita a restituição, a questão novamente se resolverá com facilidade. Pois este não reclamará caso não lhe for restituído. O mesmo ocorrerá se for cristão o que deve restituir. Ele fará a restituição. Contudo, seja cristão ou não cristão, o julgamento a respeito da restituição deve ser o seguinte: se o devedor é pobre e não pode devolver, e o outro não é indigente, deves dar livre curso à lei do amor e perdoar o devedor. Pois, conforme a lei do amor, também o outro está obrigado a perdoar e ainda a restituir mais, se for necessário. Se, porém, o devedor não é pobre, obriga-o a devolver o quanto puder, seja o total, a metade, a terça ou a quarta partes, deixando-lhe, não obstante, o suficiente para a moradia, alimentação e vestuário para ele próprio, sua mulher e filhos. Pois terias a obrigação de dar-lhe isso se o pudesses. Muito menos lho hás de tirar, já que não o necessitas e ele não o pode prescindir.

Se, porém, ambos não forem cristãos ou se um deles não quiser deixar-se julgar pela lei do amor, podes mandá-los procurar outro juiz e dirás a este que estão agindo contra Deus e o direito natural, mesmo que, de acordo com a lei humana, obtenham o máximo rigor. Pois a natureza ensina o mesmo que também ensina: Que devo fazer o que quero que me façam[57]. Por isso, não posso explorar ninguém dessa maneira, ainda que tenha todo o direito, pois eu não gostaria de ser explorado dessa maneira. Porque assim como eu desejaria que o outro desistisse de seu direito sobre mim num caso desses, assim também eu devo renunciar a meu direito. É assim que se deve proceder com todo o bem injusto, seja secreto ou público, de modo que sempre prevaleça o amor e o direito natural. Pois se julgas conforme o amor, arbitrarás todas as coisas facilmente sem livros jurídicos. Se, porém, não observares a lei do amor e da natureza, jamais agirás de maneira que agrades a Deus, mesmo que tenhas devorado todas as obras jurídicas e todos os juristas; pelo contrário, esses apenas te confundirão tanto mais quanto mais refletes sobre eles. Uma sentença verdadeiramente boa não pode ser tirada de livros; deve provir de uma reflexão livre, como se não existisse livro algum. Essas sentenças livres emanam do amor e do direito natural, do que toda a razão está cheia. Dos livros somente provêm sentenças inescrupulosas e incertas. Disso quero dar um exemplo.

A respeito do Duque Carlos, da Borgonha[58], conta-se a seguinte história: Um nobre prendeu seu inimigo. Veio então a mulher do prisioneiro para libertá-lo. O nobre prometeu libertar o marido caso ela se deitasse com ele. A mulher era honesta; não obstante queria libertar o marido. Ela foi falar com o marido e lhe perguntou se o deveria fazer para conseguir sua liberdade. O homem queria a liberdade e salvar sua vida, e deu permissão à mulher. Depois de haver mantido relações com a mulher, o nobre mandou decapitar o marido e entregou-o morto à mulher. Ela denunciou tudo ao duque Carlos. Este citou o nobre e ordenou-lhe casar-se com a mulher. Quando terminaram as bodas, mandou decapitar o homem e pôs a mulher sobre seus bens, devolvendo-lhe a honra. Assim castigou a maldade de maneira verdadeiramente principesca.

Vê, semelhante sentença nenhum papa, nenhum jurista e nenhum livro lhe poderia ter dado. Pelo contrário, ela surgiu da livre razão, superior a todos os livros, de modo tão maravilhoso que todas as pessoas a têm que aprovar e encontram a confirmação disso em si mesmas, no coração. Santo Agostinho escreve algo semelhante em seu tratado sobre o Sermão do monte[59]. Por isso, o direito escrito deveria ficar sujeito à razão, pois surgiu dela, que é a fonte de todo o direito. Não se deveria fazer a fonte depender dos arroiozinhos e aprisionar a razão com letras.

Tradução de Martin N. Dreher

3

Exortação à paz

Resposta aos doze artigos do
campesinato da Suábia*

(1925)

O campesinato que agora se amotinou na Suábia apresentou doze artigos[1] sobre seus insuportáveis gravames contra as autoridades; fundamentaram-nos com algumas citações bíblicas[2] e os publicaram em forma impressa. O que mais me agrada neles é que no artigo doze[3] se prontificam a aceitar, de bom grado, melhor informação, caso houver carência e necessidade, e de se deixarem instruir, desde que isso aconteça através de citações bíblicas claras, evidentes e incontestáveis. Aliás, é justo e correto que a consciência de ninguém seja ensinada e instruída além ou diferente do que com a palavra divina.

Se isso for sua opinião séria e sincera – como, aliás, não me cabe entendê-lo diferente, uma vez que vem a público com esses artigos, sem temerem a opinião geral – ainda há fundamentada esperança de que tudo irá acabar bem. Quanto a mim, que também sou considerado como um dos que nestes tempos interpreta a Palavra de Deus aqui na terra, mormente porque no segundo documento me citam e invocam nominalmente[4], tenho tanto mais ânimo e disposição de dar a público minha instrução. Eu o faço num espírito amigável e cristão, como dever do amor fraternal, para que, se esse caso resultar em infortúnio ou desastre, isso não seja atribuído e imputado a mim perante Deus e o mundo por ter silenciado. Essa oferta, porém, somente fizeram para pretexto e aparência, como, sem dúvida, há alguns dessa espécie entre eles; pois não me parece possível que tamanha multidão se componha somente de bons cristãos e gente de boas intenções. Certamente grande parte deles deve estar abusando das boas intenções dos restantes para seus próprios caprichos e na busca de suas vantagens. Isso, evidentemente, não vai ter sucesso e, se acontecer, será para prejuízo seu e eterna desgraça.

Essa questão é muito importante e capciosa, porque diz respeito ao Reino de Deus e ao reino do mundo. Se essa rebelião se espalhasse e chegasse a dominar, ambos os reinos seriam destruídos, de modo que não prevaleceria nem o regime secular nem a palavra divina[5]. Ocorreria uma destruição sem fim em todo o território alemão. Por isso é necessário que se fale e discuta abertamente o assunto, sem acepção de pessoas. Por outro lado, é preciso disposição para ouvir e permitir que as coisas sejam ditas, para que nossos corações não continuem empedernidos e os ouvidos, surdos, como tem acontecido até aqui; do contrário, a ira de Deus seguirá seu caminho com força total. Pois todos esses sinais horríveis que foram vistos no firmamento e na terra[6] prenunciam um grande desastre e significativas mudanças nos territórios alemães, ainda que estejamos ligando pouco para isso. Não obstante, Deus vai continuar agindo e um dia vai convencer nossas cabeças duras.

Aos príncipes e senhores

Em primeiro lugar cabe dizer que devemos agradecer por essa traição e rebelião sobretudo a vocês, príncipes e senhores, em especial a vocês, bispos cegos e clérigos e monges loucos, que continuam teimosos até hoje e não param de esbravejar e vociferar contra o santo Evangelho, ainda que saibam que ele tem razão e não pode ser contestado. Na administração pública vocês outra coisa não fazem do que maltratar e explorar, para alimentar seu luxo e sua arrogância, até que o pobre homem do povo não queira nem possa mais aguentar. Vocês estão com a espada ao pescoço, apesar de acharem que estão firmes na sela e que conseguirão derrubá-los. Ainda verão que esse sentimento de segurança e obstinado atrevimento vai lhes quebrar o pescoço. Eu avisei anteriormente inúmeras vezes[7] que se precavessem das palavras do Sl 104 (*sc.* 107,40): *effundit contemptum super principes* ("Ele lança o desprezo sobre os príncipes"[8]). Vocês estão pedindo isso e querem levar uma na cabeça. Aí todo aviso e admoestação são inúteis.

Pois então, como vocês são a causa dessa ira de Deus, ela certamente lhes sobrevirá, a não ser que se emendem em tempo. Os sinais no céu e os milagres na terra visam a vocês, senhores, e não lhes anunciam nada de bom. Nada de bom lhes deverá acontecer. Boa parte da ira já se desencadeou pelo fato de Deus ter enviado tantos falsos pregadores e profetas[9], para que primeiro, com heresias e blasfêmias, mereçamos plenamente o inferno e a perdição eterna. Existe também o outro lado; os camponeses estão formando quadrilhas. Se Deus não interferir, movido por nossa penitência, isso só pode levar ao desastre, à ruína e devastação do território alemão através de terríveis assassinatos e derramamento de sangue.

Convém que saibam, caros senhores, que Deus providencia as coisas de tal forma que não se pode, nem se quer, nem se deve tolerar indefinidamente sua prepotência. Vocês têm que mudar de mentalidade e dar espaço à Palavra de Deus. Se não o fizerem de modo amigável e voluntário, terão que fazê-lo sob a ação da violência e da destruição. Se não o fizerem esses camponeses, outros haverão de fazê-lo. Ainda que venham a matar todos, eles ainda não estarão derrotados. Deus haverá de suscitar outros. Ele quer e vai derrotá-los. Não são os camponeses, senhores, que se levantam contra vocês, é Deus mesmo, para vingar sua insânia. Alguns entre vocês se disseram dispostos a empenhar gente e posses para extirpar a doutrina luterana[10]. Que tal se tivessem sido seus próprios profetas e, a essa altura, possessões e gente já estiverem comprometidas? Não zombem de Deus[11], prezados senhores; os judeus também disseram: "Não temos rei" (Jo 19,15); e a coisa ficou tão séria que eles estão condenados a ficar sem rei por todos os tempos.

Para que caiam ainda mais em pecado e tenham que fracassar impiedosamente, alguns estão começando a culpar o Evangelho, dizendo que esse é o fruto de minha doutrina[12]. Pois bem, prezados senhores, vão difamando; ainda não querem saber o que ensinei e o que o Evangelho é. Todavia, está diante da porta aquele que lho ensinará já, já, se não se emendarem. Como qualquer um, terão que concordar que ensinei sem o menor alarde e que lutei bravamente contra a ideia da rebelião[13] e que instei com muito empenho os súditos para obediência e respeito até para com as autoridades tirânicas e loucas. Portanto, essa rebelião não tem sua origem em mim. É que os profetas assassinos, que são tão hostis a mim quanto a vocês, se misturaram ao povão. Estão agindo desse modo há mais de três anos e praticamente ninguém se opôs a eles, a não ser eu. Talvez Deus queira castigar vocês e permite que o diabo, através dos falsos profetas, agite o populacho enfurecido contra vocês, e talvez queira que eu não deva nem possa barrá-los por mais tempo. Que posso fazer eu ou meu Evangelho, que até aqui tão somente sofri perseguição, assassínio e fúria da parte de vocês, enquanto eu rezei por vocês e ajudei a proteger e resguardar a autoridade de vocês entre a gente simples!

Se eu tivesse vontade de me vingar de vocês, haveria de rir de sua cara e simplesmente assistir à ação dos camponeses e me associar a eles para ajudar a piorar as coisas. Que Deus me guarde disso, como o tem feito até agora. Por isso, senhores, quer sejam amigos ou inimigos, rogo submissamente que não desprezem minha fidelidade, ainda que seja apenas um pobre homem. Também não menosprezem essa rebelião, eu lho peço. Não que eu ache ou tema que eles possam tornar-se poderosos demais para vocês. Não quero também que por essa razão tenham medo deles. Entretanto, temam a Deus, considerem sua ira! Se Ele quiser castigá-los, como receio que mereçam, então Ele os castigará, ainda que houvesse só a centésima parte de camponeses. Ele pode transformar pedras em camponeses e vice-versa[14]. E através de um camponês pode degolar cem dos de vocês, de modo que toda a sua armadura e força serão insuficientes.

Se ainda tiverem ouvidos para um conselho, meus senhores, então deem um pouco de espaço à ira, por amor de Deus. "Uma carreta carregada de feno dá passagem a um bêbedo!" [diz o ditado]. Quanto mais deveriam vocês parar com a insânia e tirania empedernida, e agir com sensatez em relação aos camponeses, como se fossem bêbedos ou loucos. Não entrem em conflito com eles, porque não sabem a que fim isso vai levar. Procurem, antes de tudo, acerto amigável, porque não sabem o que Deus quer fazer para que essa situação não se transforme em rastilho e provoque na Alemanha toda um incêndio, que ninguém conseguirá dominar. Nossos pecados estão diante de Deus. Por essa razão cabe temer sua ira, mesmo que se ouça somente o farfalhar de uma única folha[15], quanto mais quando uma multidão dessas se movimenta. Com bondade vocês não têm nada a perder, e ainda que ela venha a ter seu custo, a preservação da paz lhes retribuirá dez vezes mais. Com um conflito poderão perder bens e vida. Por que querem expor-se ao perigo, se de outra maneira ou com bondade poderiam produzir algo mais útil?

Eles apresentaram doze artigos. Alguns deles são tão justos e procedentes que desmascaram vocês perante Deus e o mundo e tornam verdadeira a Palavra de Deus, que diz: "Derramarão desprezo sobre os príncipes" (Sl 107,40). É verdade que quase todos visam a seus interesses e suas vantagens; no entanto, não estão buscando seu próprio bem. Eu bem que teria outros artigos a formular contra vocês, pertinentes a toda a Alemanha e seu regime, como fiz no livro endereçado à nobreza alemã[16], onde há causas maiores em jogo. Porém, já que vocês os lançaram ao vento[17], terão que ouvir e aguentar agora estes artigos interesseiros. Bem-feito para vocês, que não queriam ouvir.

No primeiro artigo[18] exigem o direito de ouvir o Evangelho e de escolher um pastor. A esse vocês não podem negar com um pretexto qualquer, ainda que aí estivessem misturados interesses próprios, visto que esse pastor deverá ser mantido com o dízimo[19], dinheiro esse que não lhes pertence. Não obstante, o sentido último do artigo é este: que se permita que o Evangelho lhes seja pregado. Contra isso nenhuma autoridade deve e pode opor-se. Com efeito, nenhuma autoridade tem o direito de impedir uma pessoa de ensinar e crer o que quiser. Basta que impeça que se pregue rebelião e discórdia.

Os outros artigos, que falam dos gravames físicos, tais como a taxação sobre o espólio e tributos[20], certamente também são procedentes e justos. A autoridade não foi instituída para arrancar vantagens de seus súditos e explorá-los, mas para procurar seu bem-estar e o que é melhor para eles. Afinal, não se pode explorar e esfolar desse modo indefinidamente. De que adiantaria se a lavoura de um camponês produzisse tantos florins como talos e grãos, se depois vem a autoridade e tributa tanto mais [a produção], aumenta ainda mais seu luxo e gasta tudo em roupas, comilanças, bebedeira e construções, como se dinheiro fosse palha? Antes seria preciso diminuir o luxo e parar com o desperdício, para que sobrasse também alguma coisa para o pobre. Certamente receberam maiores informações através dos documentos deles, onde apresentam suas queixas com suficiente clareza.

Ao campesinato

Até aqui, meus amigos, não ouviram outra coisa do que minha confissão de que, infelizmente, é pura verdade que os príncipes e senhores que impedem a pregação do Evangelho e exploram o povo de forma insuportável merecem que Deus os derrube de seus tronos[21], como gente que pecou gravemente contra Deus e os homens. Eles não têm desculpa. Mesmo assim é preciso cuidar para que promovam sua causa de boa consciência e com justiça. Pois, se tiverem boa consciência, terão a consoladora vantagem de que Deus os assistirá e levará [a causa] a bom termo. E mesmo que, por algum tempo, fiquem derrotados ou venham a sofrer a morte pela causa, no fim a vitória será sua e suas almas serão salvas e estarão na companhia de todos os santos. Se, porém, sua consciência não for limpa e tranquila, serão derrotados. E ainda que, temporariamente, venham a vencer e matar todos os príncipes, perecerão, no final, em corpo e alma para sempre. Com essa questão não se brinca. Estão em jogo corpo e alma para a eternidade. É isso que mais tem que ser levado em conta e analisado com a maior seriedade. Não se trata apenas de olhar para o poderio de vocês e a injustiça deles, mas de verificar se a causa e se a consciência estão tranquilas.

Por isso peço amigável e fraternalmente, prezados senhores e irmãos, que pensem bem no que irão fazer e não deem ouvidos a qualquer espírito e pregador, logo agora que o maldito diabo arregimentou muitas hordas de maus espíritos e assassinos sob o nome do Evangelho e está enchendo o mundo com eles. Ouçam, portanto, e aceitem, como, aliás, por várias vezes se dispuseram. Não quero furtar-me à tarefa de vos dar o conselho sincero que vos devo, ainda que alguns, já envenenados pelos espíritos assassinos, venham a odiar-me por isso e chamar-me de hipócrita[22], não me importo com isso. A mim basta que consiga salvar da ameaça e ira divinas alguns de vocês que têm bom coração e são corretos. Aos outros temerei tanto menos quanto mais me desprezarem. Não haverão de prejudicar-me, afinal. Sei de um que é maior e mais poderoso do que eles. Através do Sl 3,6 ele me ensina: "Não temerei ainda que milhares se lancem contra mim". Minha obstinação há de aguentar a deles, disso tenho certeza.

Em primeiro lugar, caros irmãos, vocês usam o nome de Deus e se denominam um movimento ou um grupamento cristão, e alegam que desejam decidir e agir de acordo com a lei divina[23]. Pois bem, então também sabem que o nome, a palavra e os títulos de Deus não devem ser invocados em vão e sem cabimento, como dispõe o segundo mandamento: "Não tomarás o nome do Senhor teu Deus em vão" (Ex 20,7); e acrescenta: "O Senhor não terá por inocente o que tomar seu nome em vão" (Ex 20,7). Aqui está o texto com toda a clareza, e ele vale tanto para vocês como para todas as pessoas; apesar de serem numerosos, de estarem com a razão e do terror que infundem, Ele os ameaça com sua ira tanto quanto a nós outros todos. Como bem sabem, Ele é forte e poderoso o suficiente para castigá-los, como ameaça aqui, se usarem seu nome em vão e descabidamente. Se abusarem do nome de Deus, nenhuma sorte boa os espera, mas somente desgraça. Considerem isso e sejam amigavelmente advertidos. Para Ele é coisa fácil acabar com todos esses camponeses e barrá-los, Ele que afogou o mundo inteiro com o dilúvio e destruiu Sodoma a fogo[24]. Ele é um Deus todo-poderoso e terrível.

Em segundo lugar, é fácil provar que estão usando o nome de Deus em vão e dele abusam; não há dúvida também que, por causa disso, no final, toda sorte de desgraça os atingirá, a não ser que Deus não exista. Pois cá está a Palavra de Deus e diz através da boca de Cristo: "Quem lança mão da espada, à espada perecerá" (Mt 26,52). Isso só pode significar que ninguém deve apelar para a violência por iniciativa própria. Antes, como diz São Paulo: "Toda alma esteja sujeita à autoridade em temor e honra" (Rm 13,1; cf. 13,7). Como é que vocês puderam passar simplesmente por cima dessas palavras e disposições divinas, vocês que dizem seguir o direito divino, mas, ao mesmo tempo, lançam mão da espada e se rebelam contra a autoridade constituída por Deus? Acham, por acaso, que o juízo de São Paulo em Rm 13,2: "Aquele que resiste à ordenação de Deus trará sobre si mesmo a condenação" não irá atingi-los? Isso significa usar o nome de Deus em vão[25], alegar a justiça de Deus e, ao mesmo tempo, agir sob o manto desse nome contra o direito divino. Cuidem-se, prezados senhores; no fim, as coisas não irão acabar como vocês imaginam.

Em terceiro lugar, vocês alegam: "A autoridade é demasiadamente perversa e insuportável; não querem deixar-nos o Evangelho e nos oprimem em demasia com tributação de nossas propriedades e nos arruínam em corpo e alma". Eu respondo: O fato de a autoridade ser perversa e injusta não justifica desordem e tumulto. Pois castigar a maldade não compete a qualquer um, mas à autoridade secular que detém o poder, como São Paulo diz em Rm 13,4 e Pedro em 1Pd 3 (*sc.* 2,1), afirmando que ela foi instituída para castigar os maus. Em consequência, existe a lei natural e universal de que ninguém deve e pode ser seu próprio juiz nem deve ser seu próprio vingador. Pois é verdadeiro [o provérbio] que quem revida está errado. Mais ainda: quem responder com violência provoca desavença. O direito divino concorda com isso, dizendo: "A mim me pertence a vingança, a retribuição, diz o Senhor" (Dt 32,35). Ora, vocês não podem negar que sua rebelião se conduz de tal maneira que vocês se arvoram em juízes, vingam-se a si mesmos e não aceitam sofrer qualquer injustiça. Isso não contraria apenas o direito cristão e o Evangelho, mas também o direito natural e toda a equidade[26].

Se quiserem vencer em seu propósito, apesar de terem contra si tanto o direito divino do Antigo Testamento e o direito cristão do Novo Testamento quanto o direito natural, deverão inventar uma nova ordem especial de Deus, confirmada com sinais e milagres, que lhes dê mandato e poder de procederem desse modo. Do contrário, Deus não permitirá que sua palavra e ordenança sejam quebradas pela violência de vocês. Visto, porém, que se gloriam do direito divino, mas agem contra ele. Deus os abandonará e castigará terrivelmente, e os condenará para sempre, como pessoas que desonram seu nome, conforme dito acima. Pois aqui se aplica a vocês a palavra de Cristo em Mt 7,3: Vocês enxergaram o argueiro no olho da autoridade superior, mas não veem a trave no próprio olho. Ou então, de acordo com a palavra de São Paulo em Rm 3,8: "Iremos praticar males para que venham bens? A condenação desses é justa". É verdade que as autoridades cometem injustiças, barrando o Evangelho e oprimindo vocês quanto aos bens temporais. Injustiça maior, porém, cometem vocês ao não apenas resistirem à palavra de Deus, mas também a pisoteiam, interferindo no exercício de seu poder e direito, colocando-se, inclusive, acima dele. Estão tirando o direito e o poder da autoridade constituída; na verdade, tudo o que ela tem. Pois ela fica com o que, se perdeu o poder?

Eu os convoco e deixo a decisão com vocês: Qual é o pior assaltante: aquele que tira do outro grande parte de seus bens, deixando-lhe, porém, algumas coisas, ou aquele que tira tudo o que o outro tem, até o próprio corpo? A autoridade lhes tira injustamente seus bens; isso é um aspecto. Por sua vez, vocês tiram dela o poder, no que consiste tudo o que possui, corpo e vida. Por isso vocês são assaltantes muito piores do que eles, e pretendem coisa pior do que as que as autoridades fizeram. Pois bem, dizem vocês, estamos dispostos a deixar-lhes a vida e bens suficientes. Acredite isso quem quiser, mas não eu. Quem enveredou por tanta injustiça a ponto de assenhorear-se criminosamente do poder, o bem maior e essencial, não hesitará em pôr a mão no outro bem menor, que está associado ao primeiro. "Se o lobo é capaz de comer uma ovelha inteira, também pode comer-lhe as orelhas" [diz o ditado]. Ainda que fossem tão bons a ponto de lhes deixarem a vida e bens suficientes, é roubo demais e uma injustiça que vocês se apoderem do melhor, qual seja, o poder, arvorando-se em senhores sobre eles. Deus há de tê-los como os assaltantes maiores.

Vocês não são capazes de avaliar o que isso significa? Se seu procedimento fosse justo, cada qual se tornaria juiz do outro, e não sobraria nem poder, nem autoridade, ordem ou direito no mundo, mas somente assassinato e derramamento de sangue. Pois, tão logo alguém verificasse estar sofrendo injustiça, reagiria julgando e castigando. Se isso está errado e não pode ser tolerado por parte de nenhum indivíduo, então também não pode ser aceito como conduta de uma turba ou de uma multidão. Por outra, se for procedente como direito de uma turba ou multidão, então não há argumento e direito para negá-lo ao indivíduo. Pois em ambos os casos o motivo é o mesmo: a injustiça. Que fariam se em seu movimento surgisse o desatino de cada qual se opor ao outro e ele próprio se vingasse em quem o ofendeu? Acaso vão tolerar isso? Não diriam que tal pessoa deve deixar o julgamento e a vingança para aqueles que investiram nessa função? Como é que querem subsistir perante Deus e o mundo, uma vez que se julgam e se vingam a si mesmos em seus ofensores, inclusive na autoridade que Deus instituiu?

Até agora só falei no direito universal, divino e natural, que até os gentios, turcos e judeus têm que respeitar, para que haja paz e ordem no mundo. Se cumprissem tudo isso, ainda não estariam fazendo mais ou coisa melhor do que os gentios e os turcos. Pois o fato de alguém não se arvorar em juiz e vingador em causa própria, deixando essa tarefa para a autoridade constituída, ainda não torna ninguém um cristão. Cedo ou tarde é preciso fazê-lo, queira ou não. Como vocês afrontam esse direito, podem perceber também claramente que são piores do que os gentios e turcos; que dirá chamarem-se de cristãos. Entretanto, que acham que Cristo vai dizer de tudo isso? Vocês usam seu nome e se dizem uma assembleia cristã, quando na verdade estão longe de tudo, agindo e vivendo tão barbaramente contra seu direito que não merecem sequer serem chamados de gentios ou turcos. Vocês são gente bem pior, porque se revoltam e lutam contra um direito natural, que até entre os gentios é pacífico.

Vejam então, meus caros amigos, que espécie de pregadores vocês têm, o quanto se importam com as almas de vocês. Receio que se misturaram a vocês alguns profetas sanguinários que, através de vocês, querem tornar-se senhores do mundo, pelo que há muito vêm lutando, sem se importarem com o fato de os estarem levando a comprometer a vida, os bens, a honra e a alma, temporária e eternamente. Se quiserem respeitar a Lei de Deus, como alegam, pois bem, façam-no, aí está ela. Deus diz: "A mim me pertence a vingança, a retribuição" (Dt 32,35). E ainda: "Sejam submissos a seus senhores, não somente aos bons, mas também aos perversos" (1Pd 2,18). Se o fizerem, tudo bem; se não o fizerem, poderão até provocar um descalabro, mas no fim a desgraça cairá sobre vocês; disso ninguém tenha dúvida. Acontece que Deus é justo e não tolera isso. Por isso tenham cuidado com essa liberdade, para que, fugindo da chuva, não venham a cair na água, e, na intenção de conquistar a liberdade física, percam a vida, os bens e a alma eternamente. A ira de Deus está aí; é melhor temê-la, é meu conselho. O diabo lhes enviou falsos profetas; cuidem-se deles.

Ademais, queremos falar também do direito cristão evangélico, que não é compromisso dos gentios, como o anterior. Pois, se vocês se dizem cristãos e gostam de ouvir que sejam chamados assim e tidos por tais, hão de aceitar certamente que se chame a atenção de vocês para seu direito. Então escutem seu direito, queridos cristãos. Assim fala seu Senhor supremo, Cristo, por cujo nome estão se chamando, de acordo com Mt 6 (*sc.* 5,39-41): "Não resistam ao mal. Se alguém o obrigar a andar uma milha, vá com ele duas; ao que lhe tirar a túnica, deixe-lhe também a capa; a qualquer que o ferir a face direita, volte-lhe também a outra". Estão ouvindo isso, comunidades cristãs? Como podem suas pretensões se harmonizarem com esses dispositivos legais? Vocês não querem tolerar que se lhes faça qualquer mal e injustiça; querem ser livres e alvo somente de coisas boas e de causas justas. Mas Cristo diz que não se deve resistir a nenhum mal e injustiça, mas sempre ceder, sofrer e permitir que sejamos despojados de nossos bens. Se não quiserem tolerar isso, então eliminem também o nome de cristão e gabem-se de algum outro, mais consentâneo com seu modo de proceder, ou então o próprio Cristo vai arrancar seu nome de vocês, e isso será duro demais para vocês.

No mesmo sentido se manifesta também São Paulo em Rm 12,19: "Não se vinguem a si mesmos, amados, mas deem lugar à ira de Deus". Por outro lado, ele elogia os coríntios por aceitarem o sofrimento quando alguém lhes bate ou rouba (2Cor 11,20). Em 1Cor 6,1-8, por sua vez, ele os repreende por brigarem pelas benesses e não quererem sofrer por algo. Nosso Duque Jesus Cristo diz em Mt 7 (*sc.* 5,44) que devemos desejar o bem para aqueles que nos ofendem, orar por nossos perseguidores, amar os inimigos e fazer o bem para nossos algozes. Eis aí nossos direitos cristãos, caros amigos. Agora podem perceber o quanto os falsos profetas os desviaram, e ainda chamam vocês de cristãos, apesar de os terem transformado em gente pior do que os gentios. Pois dessas passagens até uma criança depreende que o direito do cristão é não resistir à injustiça, nem lançar mão da espada, não se defender, não se vingar, mas entregar vida e bens, para que roube quem quiser, já que nos basta nosso Senhor, que não nos abandonará, conforme prometeu[27]. Sofrer e sofrer! Cruz e cruz! – estes são os direitos dos cristãos, e nenhum outro. Agora, porém, que estão lutando pelos bens temporais e não querem entregar a capa além da túnica[28], antes procuram reavê-la, quando é que estarão dispostos a morrer, a entregar a vida, amar aos inimigos e fazer-lhes o bem?[29] Ai dos cristãos imprestáveis! Caros irmãos, os cristãos não existem em tão grande número que tantos se possam juntar num só grupo. O cristão é uma ave rara[30]. Quisera Deus que a maioria de nós fosse de gentios probos e bons, que respeitassem a lei natural. Da lei cristã nem vou falar.

Quero relatar-lhes também alguns exemplos da lei cristã, para que possam ver para onde os profetas loucos os conduziram. Reparem em São Pedro no Horto [das Oliveiras], quando quis defender seu Senhor, Jesus Cristo, com a espada, cortando a orelha de Malco[31]. Diga-me quem puder: Pedro não tinha muita razão no caso? Não foi uma injustiça insuportável que queriam privar a Cristo não só dos bens, mas da própria vida? E mais: não tiraram apenas os bens e a vida de Cristo; além disso, oprimiram totalmente o Evangelho, pelo qual deveriam ser salvos[32] privando-se com isso do reino dos céus. Tamanha injustiça vocês não sofreram, caros amigos. Reparem, no entanto, no que Cristo faz e ensina aqui. Por maior que fosse a injustiça, Ele repreende a Pedro e ordena que guarde a espada, e não quer admitir que essa injustiça seja vingada ou impedida. Além disso, pronuncia uma sentença mortal sobre ele, como de um assassino, quando diz: "Quem lança mão da espada, à espada perecerá" (Mt 26,52). Aqui precisamos entender que não basta que alguém nos faça injustiça, enquanto defendemos uma boa causa e o direito está do nosso lado. É preciso também ter o direito e o poder instituído por Deus para usar a espada e castigar a injustiça. De resto, um cristão deve aguentar essas coisas, mesmo quando querem privá-lo do Evangelho. Ainda há outras maneiras de se opor ao Evangelho, como veremos mais adiante.

Outro exemplo: que faz o próprio Cristo quando lhe tiram a vida na cruz e acabam com seu ministério da pregação, para a qual fora enviado pelo próprio Deus para o bem das almas?[33] Faz o que diz São Pedro: entregou tudo àquele que julga retamente e sofreu injustiça insuportável[34]. Além disso, ainda orou por seus perseguidores e disse: "Pai, perdoa-lhes, porque não sabem o que fazem" (Lc 23,34). Se fossem cristãos corretos, teriam que proceder de igual modo e seguir esse exemplo. Se não o fizerem, então desistam do nome de cristão e da invocação do direito cristão. Pois com certeza não são cristãos, mas adversários de Cristo, de seu direito, doutrina e exemplo. Entretanto, se o fizerem, em breve verão o milagre de Deus, que os socorrerá, como fez com Jesus Cristo, ao qual, depois de terminado o sofrimento, vingou de tal forma que seu Evangelho, reino e poder, se firmaram e se impuseram, apesar de todos os inimigos. Da mesma forma também socorreria a vocês, de maneira que seu Evangelho desabrocharia vigorosamente entre vocês, se antes cumprissem sua dose de sofrimentos, entregassem a causa a Ele e esperassem por sua vingança. Agora, porém, que vocês mesmos intervêm e não aceitam suportar, querendo conquistar as coisas e conservá-las à força, impedem sua vingança e vão conseguir que não lhes ficará nem o Evangelho nem o poder.

É preciso que eu me considere um exemplo vivo nestes tempos. O papa e o imperador me afligiram e investiram furiosos contra minha pessoa. Ora, como consegui que, quanto maior a fúria do papa e do imperador, mais o meu Evangelho se alastrasse? Jamais puxei uma espada ou desejei vingança. Não desencadeei nenhuma rebelião nem qualquer motim; pelo contrário, ajudei a defender o quanto pude o poder da autoridade constituída e o respeito devido a ela, inclusive da que persegue a mim e meu Evangelho. Dessa maneira confiei tudo a Deus e me fiei decididamente em sua mão. Por isso Ele, apesar do papa e de todos os tiranos, não somente me preservou a vida, o que muitos consideram, e com muita razão, um grande milagre, como eu mesmo tenho que admitir, mas permitiu ainda que meu Evangelho se alastrasse mais e mais. Agora vêm vocês e interferem no que estou fazendo, querem ajudar ao Evangelho, mas não enxergam que dessa maneira o impedem e oprimem ao máximo.

Digo tudo isso, meus caros amigos, para alertá-los sinceramente. Nesse caso devem deixar de chamar-se de cristãos e de gloriar-se de estarem com o direito cristão. Pois, por mais razão que possam ter, a nenhum cristão cabe apelar à lei e usar as armas, mas sofrer injustiça e aguentar maldades. Não tem como interpretar diferente a passagem de 1Cor 6,5s. Vocês mesmos confessam no Prefácio que "todos quantos creem em Cristo são pessoas amáveis, pacíficas, pacientes e conciliadoras"[35]. Na prática, porém, estão mostrando tão somente impaciência, discórdia, briga e violência, desmentindo sua própria palavra. A não ser que queiram chamar de pacientes somente aqueles que não querem sofrer alguma maldade, mas apenas justiça e benefícios.

Essa seria uma beleza de paciência que até o patife pode praticar, quanto mais uma pessoa de fé em Cristo. Por isso repito: Não questiono os méritos da causa de vocês. Como, porém, querem impô-la e não aceitam sofrer alguma injustiça, façam ou deixem de fazer o que Deus lhes permite. Mas o nome de cristão deixem de fora e não façam dele pretexto para encobrir sua iniciativa impaciente, hostil e acristã; não quero admitir e conceder-lhes esse nome; farei tudo para arrancá-lo de vocês através de pregação e publicações, enquanto correr uma gota de sangue em meu corpo. Pois não terão sucesso. O máximo que poderão conseguir é a ruína de corpo e alma.

Não pretendo, com isso, justificar ou defender as autoridades na prática das insuportáveis injustiças que vocês sofrem. Admito que são injustas e que praticam terrível injustiça. O que eu quero é o seguinte: se ambas as partes não quiserem aceitar orientação e, o que Deus não permita, vierem a enfrentar-se em luta armada, que nenhuma das partes use o nome de cristão. Aí, então, acontece o que costuma acontecer no mundo quando um povo luta contra outro, como diz o adágio: "Deus castiga um patife através do outro". Em caso de conflito, o que Deus queira evitar, quero vocês tais quais são classificados e chamados. Que as autoridades saibam que não estão lutando contra cristãos, mas contra gentios, e que vocês próprios saibam que não estão enfrentando as autoridades como cristãos, mas como gentios. Pois cristãos não lutam em seu próprio benefício com a espada ou o mosquetão, mas com a cruz e sofrimentos, assim como seu Duque, Cristo, não usa a espada, mas está pendurado na cruz. Por isso mesmo, sua vitória não consiste em vencer, governar e exercer poder, mas na submissão e fraqueza, como diz São Paulo em 2Cor 10,4:

"As armas de nossa milícia não são corporais, e, sim, poderosas em Deus". E ainda: "Poder se aperfeiçoa na fraqueza" (2Cor 12,9).

Seu título e nome serão e haverão de ser o seguinte: Gente que luta porque não quer sofrer nenhuma injustiça e mal, conforme o direito natural. Esse é o nome que devem adotar, e deixar o nome de Cristo em paz. Pois isso corresponde à obra de vocês, e é assim que estão procedendo. Se não quiserem assumi-la, mas preservar o nome de cristãos, então tenho que presumir que estão se voltando contra mim, devendo, portanto, considerá-los como inimigos que querem restringir ou impedir o Evangelho, e isso mais do que o papa e imperadores o fizeram até aqui. Porque estão agindo contra o próprio Evangelho sob o signo do Evangelho. Por outro lado, não quero esconder o que farei no caso. Vou entregar essa causa a Deus, arriscarei o pescoço, com a graça de Deus, e me fiarei tranquilamente nele, como fiz até aqui contra papa e imperador; e quero orar por vocês, para que Ele os ilumine e barre seu movimento, para que não tenha sucesso. Pois estou vendo perfeitamente que o diabo, que até agora não conseguiu eliminar-me através do papa, agora quer descobrir e devorar-me através dos profetas sanguinários e assassinos e dos espíritos rebeldes que há entre vocês. Pois bem, que me devore! Ele vai ficar com a barriga bem estufada, disso estou certo. E vocês, mesmo que vençam, não terão muito proveito. Mas peço humilde e amigavelmente que reflitam de imediato e se portem de tal maneira que essa confiança e oração a Deus não sejam necessárias.

Ainda que seja apenas um pobre homem pecador, sei e estou convencido de que, no presente caso, defendo o que é correto quando luto pelo nome "cristão", e peço que não seja ultrajado. Estou certo também de que minha oração a Deus foi ouvida e será aceita, pois Ele próprio nos ordenou a orar desse modo no Pai-nosso, onde dizemos: "Santificado seja o teu nome" (Mt 6,9), e proibiu no segundo mandamento que se profanasse seu nome (cf. Ex 20,7). Por isso, peço que não desprezem essa minha oração e a de todos que comigo oram, porque será extremamente poderosa contra vocês e chamará Deus contra vocês, como diz São Tiago: "Muito pode a súplica do justo, se for persistente" (Tg 5,16), como foi o caso na oração de Elias[36]. Temos também promessas animadoras de Deus no sentido de que nos ouvirá, conforme Jo 14,14: "E tudo quanto pedirem em meu nome, isso farei". E em 1Jo 5,14: "Se pedirmos alguma coisa conforme sua vontade, Ele nos ouve". Essa confiança e certeza no coração vocês não podem ter, porque sua consciência e a Escritura os convencem de que sua intenção é pagã e não cristã, e que, sob o nome do Evangelho, agem contra o Evangelho e para vergonha do nome de cristão. Sei que, nessa questão, ninguém de vocês orou a Deus nem o invocou uma única vez sequer. Nem poderiam. Nesse caso, vocês não ousam levantar os olhos a Ele[37], mas ameaçam desafiadoramente com o punho que cerraram por impaciência e intolerância, coisa que não acabará bem para vocês.

Se fossem cristãos, eles deixariam de ameaçar com punho e espada e se apegariam ao Pai-nosso e levariam sua causa à presença de Deus, dizendo: "Faça-se a tua vontade", e ainda: "Livra-nos do mal, amém" (Mt 6,10.13), como no saltério, onde os verdadeiros santos trazem sua aflição perante Deus, procurando nele seu auxílio; eles desistem de defender-se a si mesmos e de resistir ao mal. Esse tipo de oração lhes teria ajudado bem mais em sua aflição do que se o mundo estivesse em suas mãos. Também teriam consciência limpa e a consoladora esperança de que seriam ouvidos, como rezam suas promissões em 1Tm 4,10: "Ele é o Salvador de todos os homens, especialmente dos fiéis". E no Sl 50,15: "Invoque-me no dia da angústia; eu lhe ajudarei". E o Sl 91,15: "Ele me invocou na angústia, por isso lhe ajudarei". Vejam, esta é a maneira legitimamente cristã de alguém livrar-se de desgraça e mal, ou seja, aguentar e invocar a Deus. Como não fazem nem uma nem outra, não invocam nem aguentam, mas tratam de se ajudar a si mesmos com força própria, fazendo-se deus e salvador de si mesmos, o Altíssimo não é nem será seu Deus e Salvador. Se Deus quiser, podem até conseguir algo como gentios e difamadores de Deus, e nós oramos por isso. Mas isso apenas servirá para a desgraça temporal e eterna de vocês. Contudo, como cristãos e evangélicos, não conseguirão nada. Nisso apostaria mil vezes meu pescoço.

A partir daí, agora é fácil responder a todos os artigos de vocês. Ainda que todos estejam baseados no direito natural e sejam justos, vocês esqueceram, não obstante, o direito cristão. Porque não chegaram a eles nem os estabeleceram com paciência e oração a Deus, como convém a gente cristã, mas procederam com impaciência e violência, para arrancá-los da autoridade constituída e impô-los à força, coisa que é contra o direito territorial e a equidade natural. A pessoa que redigiu os artigos de vocês não é gente honesta e proba, pois anotou à margem muitas passagens da Bíblia, nas quais se baseariam os tais artigos. No entanto, trabalha com meias-verdades[38] e omite determinados textos, para dar ares de justiça a sua malícia e ao movimento de vocês, e para seduzir e instigá-los, arrastando-os ao perigo. Pois as passagens indicadas, quando se as lê atentamente, pouco têm a ver com o movimento de vocês; pelo contrário, ou seja, ensinam que se deve viver e agir de modo cristão. Deve ser um homem sectário esse que, através de vocês, somente quer se aproveitar de vocês para dar vazão a sua revolta contra o Evangelho. Queira Deus impedi-lo e guardá-los dele.

Primeiramente, no prefácio vocês são amáveis e proclamam que não querem ser rebeldes, escusando-se, inclusive, porque querem viver de acordo com o Evangelho[39]. No entanto, sua própria boca e ação os desmentem. Pois admitem a formação de quadrilhas e de rebelião, e querem encobrir tudo isso com o Evangelho. Mais acima, ouviram que o Evangelho ensina os cristãos a sofrer e tolerar a injustiça e clamar a Deus em todas as adversidades. Entretanto, vocês não querem sofrer, mas, qual gentios, submeter as autoridades à vontade e impaciência de vocês. Citam os filhos de Israel como exemplo de que Deus ouviu seu clamor e os libertou[40]. Por que não se atêm a esse exemplo, para que possam orgulhar-se? Clamem a Deus como eles e esperem até que Ele mande também a vocês um Moisés que, com sinais e milagres, prove que foi enviado por Deus. Os filhos de Israel não se rebelaram contra o faraó; eles também não procuraram fazer justiça com as próprias mãos, como vocês pretendem. Por isso tal exemplo vai diretamente contra vocês – e os condena – que querem invocá-lo, mas fazem exatamente o contrário.

Também não confere a alegação de que estariam ensinando e vivendo de acordo com o Evangelho. Não há um artigo sequer que ensine alguma passagem do Evangelho; tudo visa unicamente à liberdade pessoal e aos bens, todos falam de coisas terrenas e temporais: querem ter poder e bens sem sofrer qualquer injustiça. Acontece que o Evangelho não se envolve com assuntos seculares, mas fala da vida no mundo como sujeita a sofrimentos, injustiça, cruz, paciência e desprendimento de bens e vida temporais. Como poderia o Evangelho combinar com vocês, se procuram apenas fachadas para seu movimento não evangélico e acristão, sem se darem conta de que com isso zombam do santo Evangelho de Cristo, fazendo dele um pretexto? Portanto, vocês têm que tomar uma atitude diferente no caso; ou desistem de tudo e se submetem ao sofrimento de injustiça, se quiserem ser cristãos; ou, se quiserem continuar com o movimento, achem um nome diferente e não pretendam ser chamados e considerados cristãos. Aqui não há meio-termo nem outra escolha.

Concordo que tenham razão naquele ponto em que dizem desejar o Evangelho, posto que é manifestação séria. É inaceitável que se feche o céu para alguém e se o mande à força para o inferno. Isso é coisa que ninguém deve aceitar; antes deve empenhar cem vezes a vida. Quem me nega o Evangelho fecha o céu para mim, e me conduz à força para o inferno, uma vez que não existe outro caminho ou meio para a salvação das almas do que o Evangelho. Portanto, isso é uma situação que não posso aceitar, ainda que me custe a vida. Vejam, acaso o direito não está suficientemente comprovado? Disso, porém, não decorre que eu devesse rebelar-me à força contra a autoridade que pratica essa injustiça contra mim. Você dirá então: Como posso sofrer e não sofrê-lo ao mesmo tempo? A resposta é fácil nesse caso: Não é possível negar o Evangelho a alguém.

Não há poder no céu ou na terra capaz disso. Pois o Evangelho é um ensinamento público, que corre livremente debaixo do céu, preso a nenhum lugar, como aquela estrela que, caminhando no céu, indicava aos magos do Oriente o nascimento de Cristo[41].

É verdade que os senhores podem barrar o Evangelho em cidades, vilas e povoados onde está o Evangelho ou existe um pregador. Mas você pode deixar essa cidade ou lugarejo e procurar o Evangelho em outro lugar. Não é preciso que, por causa do Evangelho, você conquiste e ocupe uma cidade ou um povoado. Deixe a cidade ao encargo de seu mandatário e siga o Evangelho. Assim você tolera que lhe façam injustiça e o desterrem, ao mesmo tempo que não aceita que lhe tirem ou neguem o Evangelho. Veja, assim as duas coisas se harmonizam, tolerar e não tolerar. Do contrário, quando você quer ficar com a cidade juntamente com o Evangelho, está roubando do senhor da cidade o que é dele e alega que é por causa do Evangelho. Meu caro, o Evangelho não ensina tirar e roubar, ainda que o proprietário do bem estivesse agindo contra Deus e com injustiça, e dele se prevaleça em seu prejuízo. O Evangelho não precisa de espaço físico ou cidade para ficar. Ele quer e precisa ficar nos corações.

Cristo ensinou isso em Mt 10,23: "Quando os expulsarem de uma cidade, fujam para outra". Ele não diz: "Se tentarem expulsá-los de uma cidade, permaneçam lá e assumam o controle dela para o bem do Evangelho, e rebelem-se contra os senhores da cidade", como agora se quer fazer e ensinar. Diz, pelo contrário: "Fujam, fujam sempre para outra cidade, até que o Filho do Homem venha. Pois eu lhes digo que não chegarão ao fim com todas as cidades até que o Filho do Homem venha". Também em Mt 23,34 diz que os gentios irão expulsar seus evangelistas de uma cidade para outra. Paulo também diz em 1Cor 4,11: "Não temos lugar de permanência". Se acontecer, então, que um cristão tem que retirar-se de um lugar para outro por causa do Evangelho, saindo de onde está e abandonando o que possuía, ou vive na incerteza ou na expectativa de que a qualquer hora isso pode acontecer, então lhe está acontecendo o que convém acontecer a um cristão. Pois, pelo fato de não aceitar que se lhe tome e proíba o Evangelho, ele tolera que se lhe tomem e proíbam cidades, vilas, bens e tudo quanto é e possui. Como fica aqui o movimento de vocês, que ocupam cidades e povoados e os mantêm sob domínio, quando não lhes pertencem, e não querem tolerar que se os negue a vocês ou recupere; vocês é que os tomam e negam a seus senhores por natureza! Que cristãos são esses que, em nome do Evangelho, se tornam assaltantes, ladrões e safados, e depois dizem que são evangélicos?

Quanto ao primeiro artigo

"A comunidade como um todo tem que ter o poder de escolher e afastar um pároco"[42]. Esse artigo está certo, se for usado de forma cristã, para o que, no entanto, as passagens indicadas à margem[43] nada contribuem. Se as propriedades da paróquia pertencem à autoridade constituída e não à comunidade, essa não pode ceder essas propriedades ao pároco que ela mesma escolheu, porque isso seria assalto e roubo. Se ela quiser ter um pároco, que primeiro o peçam humildemente à autoridade constituída. Se não os atender, escolham seu próprio pároco e sustentem-no com recursos próprios. A autoridade fique com seu patrimônio, ou então consigam-no dela por via legal. Se, no entanto, a autoridade não quiser tolerar tal pároco escolhido e sustentado por conta própria, deixe-se que fuja para outra cidade, e quem quiser, que fuja com ele, como Cristo o ensina[44]. É isso que significa escolher e manter pároco próprio de modo cristão e evangélico.

Quanto ao segundo artigo

"O dízimo deve ser para o sustento do pastor e dos pobres; o resto será retido para as necessidades do território" etc.[45] Esse artigo é ladroeira e assalto público. Aí vocês querem apoderar-se do dízimo que não pertence a vocês, mas à autoridade, e fazer com ele o que bem entendem. Assim não dá, meus amigos; isso significa destituir completamente as autoridades. No prefácio[46] vocês se comprometem a não tirar nada de ninguém. Se quiserem dar e fazer caridade, façam-na com seus próprios recursos, como diz o sábio[47]. Pois através de Isaías Deus diz: "Odeio a oferta que vem de bens roubados" (Is 61,8). Vocês falam nesse artigo como se já fossem senhores do território, como se já tivessem requisitado todos os bens das autoridades, não quisessem mais ser súditos de ninguém e não pagar tributos. Por aí se entende o que pretendem. Prezados senhores, deixem disso, por favor; vocês não vão levar isso a bom termo. De nada lhes adiantam as passagens bíblicas que seu pregador mentiroso e falso profeta rabiscou à margem[48]. Pelo contrário, elas são contra vocês.

131

Quanto ao terceiro artigo

"Não pode mais haver regime de escravidão, porque Cristo nos libertou a todos"[49]. Que é isso? Isso significa transformar a liberdade cristã em coisa meramente carnal. Acaso Abraão, outros patriarcas e profetas não tiveram escravos? Leiam São Paulo[50] para saber o que ele diz dos servos que na época eram todos escravos. Por isso esse artigo conflita diretamente com o Evangelho e é ladro, porque sugere que cada qual, fazendo-se dono de seu corpo, pode tirá-lo do domínio de seu senhor. Um escravo pode muito bem ser cristão e gozar de liberdade cristã, tal como um prisioneiro ou enfermo é cristão, mas não é livre. Esse artigo quer deixar todas as pessoas iguais e fazer do reino espiritual de Cristo um reino secular e exterior, coisa que é impossível. Pois o reino secular não pode subsistir onde não houver desigualdade das pessoas, de sorte que alguns são livres, outros estão presos, uns são senhores, outros, subalternos etc. Como São Paulo diz em Gl 3,28: Em Cristo, senhor e escravo são a mesma coisa. Sobre isso meu senhor e amigo Urbano Régio certamente escreveu o suficiente. Para maiores informações, leiam seu livro[51].

Referente aos demais artigos

Os outros artigos referentes à liberdade de caça, aves, peixes, madeira, floresta, serviços, impostos sobre consumo, tributos, vendas, taxação de espólio etc. – tudo isso deixo para os juristas. Não cabe a mim, como pregador, opinar e julgar no assunto. Cabe-me, isso sim, instruir as consciências no que diz respeito a assuntos concernentes a Deus e à fé cristã. Sobre o direito imperial existem livros suficientes. Já disse mais acima que essas questões não dizem respeito ao cristão; ele não liga para isso. Deixa que roube, tire, oprima, maltrate, esfole, devore e delire quem quiser, pois o cristão é um mártir nesta terra. Por isso o movimento deveria espontaneamente deixar em paz o nome de cristão e agir como pessoas que desejam direito natural e humano, e não sob o nome de pessoas que procuram o direito cristão. Esse determina que em todas essas coisas fiquem quietos, sofram e só clamem a Deus.

Vejam, caros senhores e amigos, essa é minha orientação que vocês me solicitaram em outro documento. Por favor, lembrem-se de sua disposição de aceitar orientação através da Escritura. Quando o presente escrito chegar às mãos de vocês, não gritem logo: "Lutero está adulando os senhores, falando contra o Evangelho!" Leiam primeiro e ponderem minha argumentação a partir da Escritura, pois isso diz respeito a vocês. Estou escusado perante Deus e o mundo. Conheço bem os falsos profetas entre vocês. Não lhes obedeçam, pois na verdade eles os estão seduzindo. Eles não pensam nas consciências de vocês, mas querem transformá-los em gálatas[52]. Querem apenas usá-los para conquistar bens e honra, para depois serem condenados eternamente, junto com vocês, para o inferno.

Conselho a ambos – autoridade e campesinato

Portanto, prezados senhores, em nenhum dos lados há algo de cristão, tampouco está em jogo uma causa cristã; ambos, senhores e camponeses, estão tratando de justiça e injustiça profana e secular e de bens temporais. Além disso, ambos os lados estão agindo contra Deus e estão sob sua ira, como acabaram de ouvir. Por isso, pelo amor de Deus, ouçam e ponderem, e tratem dessas coisas como elas devem ser tratadas, isto é, com justiça e não com violência e luta, para não desencadearem um interminável derramamento de sangue nos territórios alemães. Posto que ambos os lados estão errados e ainda querem vingar e proteger-se a si mesmos, ambos os lados vão se desgraçar e Deus castigará um patife através do outro.

Vocês, senhores, têm contra si a Escritura e a história que relatam como os tiranos foram castigados. Até os poetas pagãos escrevem que os tiranos raras vezes morrem de morte natural; geralmente são assassinados e morrem em meio a seu próprio sangue[53]. Visto que não há dúvida de que governaram de modo tirânico e prepotente, que estão proibindo o Evangelho e oprimindo e esfolando o homem do povo, não há consolo nem esperança para vocês, a não ser a perspectiva de perecerem, como já aconteceu a tantos de vocês. Observem como os reinos acabaram através da espada, por exemplo, a Assíria, Pérsia, Judá, Roma e outros tantos, que no final tiveram o fim que infligiram a outros. Com isso Deus prova que é juiz sobre a terra e não deixa impune qualquer injustiça. Por isso a coisa mais certa que cairá sobre a nuca de vocês é o mesmo juízo, seja agora ou mais tarde, se não se emendarem.

Vocês, camponeses, também têm contra si a Bíblia e a experiência da história. Ela ensina que jamais uma rebelião terminou bem. Deus sempre cumpriu rigorosamente esta palavra: "Todos os que lançam mão da espada, à espada perecerão" (Mt 26,52). Visto que cometem a injustiça, julgando e vingando a si mesmos e usando indignamente o nome de cristãos, certamente também estão sob a ira de Deus. Ainda que venham a vencer e eliminar todo o poder constituído, no fim hão de se devorar entre si como bestas tresloucadas. Uma vez que não é o Espírito, mas carne e sangue que os governam, Deus em breve suscitará um espírito maligno entre vocês, como fez com os de Siquém e com Abimelec[54]. Reparem como terminaram as rebeliões, como as de Coré, Absalão, Seba, Amri e outros[55]. Em resumo. Deus é contra ambos, tiranos e rebeldes. Por isso os joga uns contra os outros, para que ambos pereçam miseravelmente e se cumpra nos descrentes sua ira e seu juízo.

O que mais deploro em tudo isso e o que mais lamento, tanto que, se possível fosse, daria minha vida para resolver a questão, é que, em ambos os lados, acontecerão dois danos irreparáveis. Posto que nenhuma das partes luta de boa consciência, mas para perpetuar a injustiça, segue que quem for morto estará eternamente perdido de corpo e alma, como pessoas que morreram em seus pecados, sem arrependimento e graça, na ira de Deus. Aí não há como ajudar. Pois os senhores haverão de lutar para confirmar e perpetuar sua tirania, a perseguição ao Evangelho e a injusta exploração dos pobres, ou então auxiliar seus pares a se firmar e dominar. Isso é terrível injustiça e uma afronta a Deus. Quem for achado nisso, estará perdido eternamente. Por outro lado, os camponeses haverão de lutar para defender sua rebelião e abuso do nome de cristãos, posto que ambas as coisas são claramente contra Deus. Quem morrer com essa postura também estará perdido eternamente. Aí também não tem cura.

Outro prejuízo: a Alemanha será devastada; onde esse derramamento de sangue começar, dificilmente haverá um fim, a não ser que antes se tenha destruído tudo. É fácil começar um conflito, mas não está em nossas mãos parar quando quisermos. O que lhes fizeram todas essas crianças, mulheres e idosos inocentes que vocês loucos arrastam ao perigo, para cobrir o território de sangue, saque, viúvas e órfãos? Ora, o diabo tem planos terríveis. E Deus está irado conosco e ameaça soltar o diabo para que possa refrescar seu ânimo em nosso sangue e nossas almas. Cuidem-se, prezados senhores, e sejam prudentes. Isso vale para ambos os lados. De que lhes adianta destruírem-se propositadamente para sempre e ainda legar aos filhos e descendentes um território ensanguentado, desolado e destruído, quando ainda haveria tempo para achar solução melhor através da penitência perante Deus, acordo amigável e disposição para sofrimento em favor das pessoas? Com discórdia e desavença não vão alcançar nada.

Por isso, meu conselho sincero é que se escolhessem dentre a nobreza alguns margraves e senhores, e dentre as cidades, alguns conselheiros para tratar e resolver as questões de forma amigável. É preciso que vocês, senhores, baixem um pouco a teimosia obstinada, da qual terão que abdicar de qualquer forma, mais cedo ou mais tarde, querendo ou não, e cedam um pouco em sua tirania e opressão, para que o homem pobre também tenha espaço e fôlego para viver. Por outro lado, que os camponeses também aceitem conselho no sentido de suprimirem alguns artigos que vão longe e alto demais. De modo que a questão, mesmo que não possa ser solucionada de maneira cristã, possa ser tratada e equacionada de acordo com o direito e tratados humanos.

Se não quiserem seguir esse conselho, o que Deus queira evitar, terei que deixar que cheguem às vias de fato. Eu, porém, estarei inocente do prejuízo de suas almas, vida e bens. Vocês mesmos terão que assumir as consequências. Eu lhes disse que ambos os lados estão errados e que estão em luta injusta. Vocês, senhores, não lutam contra cristãos, pois cristãos não lhes fazem nada, mas sofrem tudo. Estão lutando contra manifestos e profanadores do nome *cristão*. Os que morrerem nessa condição estarão e já estão condenados eternamente. De outro lado, vocês camponeses também não estão lutando contra cristãos, mas contra tiranos e perseguidores de Deus e dos homens, e contra assassinos dos santos de Cristo. Os que morrerem nessa luta também estarão condenados eternamente. Nesse sentido, ambas as partes têm seu juízo certo da parte de Deus. Disso tenho certeza. Façam, então, o que quiserem, se não quiserem obedecer para resguardar sua alma e seu corpo.

De minha parte, eu e os meus pediremos a Deus que faça com que as duas partes cheguem a um acordo, promova entendimento ou evite misericordiosamente que as coisas aconteçam de acordo com as intenções de vocês, embora os terríveis sinais e milagres que aconteceram nos últimos tempos me assustem e me façam temer que a ira de Deus seja grande demais, como diz em Jr 15,1: "Ainda que Noé, Jó e Daniel se pusessem diante de mim, eu não encontraria agrado nesse povo". Queira Deus que venham a temer a sua ira e se emendem, para que a desgraça seja adiada e protelada por bom tempo. Pois bem, eu os aconselhei pelo que minha consciência me ditou, de maneira cristã e fraternal. Queira Deus que isso resolva alguma coisa. Amém.

Sua malícia recai sobre sua cabeça, e sobre o próprio vértice desce sua iniquidade (Sl 7,16).

Tradução de Helberto Michel

4

Carta aos príncipes da saxônia

sobre o espírito subversivo[*1]

(julho de 1524)

> Aos altíssimos, ilustríssimos príncipes e senhores, senhor Frederico[2] príncipe-eleitor do Império Romano, e a João[3], duque da Saxônia, Landgrave na Turíngia e marquês de Meissen, meus clementíssimos senhores! Graça e paz em Cristo Jesus, nosso Salvador!

A sagrada Palavra de Deus sempre tem esta sina de, ao germinar, satã se lhe opor com todo o seu poder: primeiro com a força e violência criminosa. Onde isso não surte efeito, então ataca com língua falsa, com espíritos e mestres equivocados, para que, onde não a pode abafar pela força, a possa reprimir com astúcia e mentiras.

Assim o fez no início, quando o Evangelho veio pela primeira vez ao mundo: atacou-o violentamente através dos judeus e gentios, derramou muito sangue e encheu a Cristandade de mártires. Como isso não resolveu, levantou falsos profetas e espíritos do erro, encheu o mundo de hereges e seitas; até chegar ao papa, que, como convém ao último e mais poderoso anticristo, lançou o Evangelho por terra por nada mais do que através de seitas e heresia. O mesmo deve acontecer também agora, para que se veja bem como ele é a palavra íntegra de Deus, visto que anda como sempre andou. Aí o papa, o imperador, reis e príncipes o agridem violentamente e o querem amordaçar pela força; condenam, blasfemam e o perseguem sem escutá-lo e reconhecê-lo, como os insensatos. Mas o julgamento está em pé e nossa teimosia há muito está derrubada, Sl 2,1s.: "Por que se enfurecem os gentios e os povos imaginam coisas vãs? Os reis da terra se levantam e os príncipes conspiram contra o Senhor e seu ungido. Mas aquele que habita nos céus zomba deles e o Senhor ri-se deles. Na sua ira, a seu tempo, lhes há de falar, e no seu furor os atemorizará". – Assim, seguramente também sucederá aos nossos príncipes[4] enfurecidos. E também o querem assim; pois não querem nem ver nem ouvir. Deus os ofuscou e os tornou obstinados para que permaneçam na oposição e fracassem. Estão suficientemente alertados.

Tudo isso o diabo vê e percebe, que tal fúria não chegará a bom termo. Sim, ele fareja e sente que – como é a característica da Palavra de Deus – quanto mais se a oprime, tanto mais ela avança e cresce. Por isso, ele agora também começa com espíritos falsos e seitas. E nós precisamos ponderar isso e não nos deixar confundir; pois tem de ser assim como Paulo diz aos coríntios: "Precisa haver seitas para que aqueles que forem aprovados sejam manifestos" (1Cor 11,19). Portanto, depois de o satã expulso[5] ter perambulado pelo ermo durante um ano ou dois, procurou sossego e não o encontrou, assentou-se no principado de Vossa Graça Principesca e fez um ninho em Allstedt e pensa lutar contra nós sob nossa paz, abrigo e proteção.

Pois o principado do Duque Jorge, ainda que se encontre nas proximidades, é demasiado bondoso e brando em relação a esse espírito destemido e invencível – como eles se vangloriam – para que ali não manifestem tal coragem e obstinação atrevida. Por isso ele [Müntzer] também clama e lamenta horrivelmente, dizendo que deve sofrer muito, ainda que por ora ninguém os tocou, nem com armas, nem com a boca, nem com a pena e eles sonham para si mesmos uma grande cruz que supostamente carregam. Tão levianamente e sem motivo satã precisa mentir, pois ele não consegue se ocultar.

É para mim motivo de uma alegria especial que os nossos não começam com um tal comportamento. E eles mesmos, os adversários, também querem ser elogiados por não serem dos nossos, nada terem aprendido e recebido de nós, pois vêm do céu e ouvem o próprio Deus falar com eles como com os anjos[6], e que seria uma coisa ruim que se ensinasse em Wittenberg a fé e o amor e a cruz de Cristo. Eles dizem: "Tu mesmo precisas escutar a voz de Deus, padecer a obra de Deus em ti e sentir o peso do teu fardo. A Escritura nada tem a ver com isso; sim, Bíblia, patife, Babel" etc.[7] Se usássemos tais expressões a respeito deles, então sua cruz e sofrimento – assim julgo – seriam mais preciosos do que o sofrimento de Cristo, e também os iriam enaltecer mais. O pobre espírito gostaria imensamente que lhe fossem louvados o sofrimento e a cruz. Eles, porém, não querem tolerar que se tenha um pouco de dúvidas e hesitações em relação à sua voz celestial e à obra de Deus, mas o querem ter aceito pela fé de

141

modo imediato, sem hesitações. Ora, até o momento jamais li nem ouvi um "espírito santo"[8] – se o fosse – mais vaidoso e orgulhoso. Mas agora não há tempo nem espaço para julgar-lhes a doutrina que conheci anteriormente e avaliei bem duas vezes, e, se for necessário, ainda bem posso e quero avaliar pela graça de Deus[9].

Escrevi esta carta a Vossas Altezas unicamente pelo motivo de haver tomado conhecimento e também haver entendido pelo seu escrito que o mesmo espírito não pretende restringir a causa à Palavra, mas que pretende entrar nela com violência e que se quer opor à autoridade pela força, e assim, sem mais nem menos, provocar uma revolta física. Aí satã deixa entrever o velhaco, o que é mostrado com demais evidência. O que haveria o espírito de encetar, se conseguisse a adesão da plebe? Anteriormente também escutei do mesmo espírito, aqui mesmo em Wittenberg[10], que são da opinião de que se deva resolver a causa pela espada. Então pensei que tudo quisesse culminar em eles pretenderem tomar de assalto a autoridade temporal e eles mesmos se tornarem os senhores no mundo. Isso, apesar de Cristo o negar perante Pilatos, dizendo que seu reino não é deste mundo; e Ele também ensina aos discípulos que não devem ser príncipes temporais. Mesmo que eu agora me equivoque, Vossas Altezas saberão proceder melhor nesse caso do que eu posso aconselhar. Não obstante, cabe-me zelo submisso em também contribuir com minha parte para o caso e rogar e exortar submissamente Vossas Altezas para terem um entendimento sério do caso e, por obrigação e dever, combater tal abuso e antecipar-se ao tumulto. Pois Vossas Altezas possuem a boa consciência de que lhes foram dados e ordenados por Deus poder e senhorio temporal para que administrem a paz e castiguem os que a perturbam, como São Paulo ensina em Rm 13,4. Por isso, Altezas, aqui não se pode dormir nem perder tempo, pois Deus o exigirá e quererá ter resposta quanto à negligência na seriedade da espada que lhes foi confiada. Igualmente não seria perdoável perante as pessoas e o mundo que Vossas Altezas tolerassem e admitissem punhos subversivos e criminosos.

Se eles, entretanto, alegam – como costumam fazer com palavras magníficas – que o Espírito os propulsiona para que isso se concretize e que devera intervir com violência, então lhes respondo assim:

Primeiramente, deve ser, sem dúvida, um espírito mau o que não consegue provar seu medo de outra maneira senão por meio da demolição de igrejas e conventos e pela incineração de santos[11], algo que também os piores patifes na terra podem fazer, mormente quando se sentem seguros e sem resistência. Nesse caso, porém, eu apreciaria mais se o espírito de Allstedt se dirigisse a Dresden ou Berlim ou Ingolstadt[12] e lá assaltasse e demolisse conventos e queimasse imagens de santos.

Em segundo lugar, o fato de eles glorificarem o "espírito" não tem validade, pois aqui temos a sentença de São João, dizendo que antes se devem provar os espíritos, para ver se são da parte de Deus. Ora, esse espírito ainda não foi provado[13], mas anda com impetuosidade e rumoreja em sua petulância. Se fosse bom, ele primeiramente se examinaria e se deixaria avaliar, como o espírito de Cristo faz.

Isto seria um belo "fruto do espírito", pelo qual se o poderia provar, se não se escondesse num canto e não temesse a luz, mas tivesse de estar em pé perante os inimigos e opositores, tivesse de confessar e dar resposta[14]. Porém, o espírito de Allstedt evita isso, como o diabo evita a cruz, e, não obstante, nesse meio-tempo brada as palavras mais arrojadas em seu ninho, como se estivesse cheio de três "espíritos santos", de modo que também tal autoglorificação mostra muito bem quem é este espírito. Pois em seu escrito ele se dispõe a encontrar-se publicamente perante uma comunidade inofensiva, mas não a permanecer diante de dois ou três reservadamente, a responder e a ter corpo e alma expostos na maneira mais livre etc.[15]. Claro, diga-me, quem é esse "espírito santo" corajoso e obstinado que se restringe a si mesmo tão estreitamente e que não quer outra coisa senão estar diante de uma comunidade inofensiva? E também que não quer dar resposta reservadamente, perante dois ou três? Que espírito é esse que teme dois ou três e não consegue suportar uma comunidade perigosa? – Eu te quero dizer quem é: Ele percebe de onde vem o cheiro do assado; uma ou duas vezes foi atingido no nariz diante de mim no meu convento em Wittenberg. Por isso ele se horroriza ante a sopa e não se quer encontrar em outro lugar senão lá onde estão os seus, que dizem sim às suas excelentes palavras. Se eu – que sou tão sem espírito e não ouço nenhuma voz celestial – tivesse usado tais palavras contra os meus papistas, como estes gritariam "vitória" e me tapariam a boca!

Com tão elevadas palavras não consigo gloriar-me nem desafiar. Sou um pobre e mísero homem e não comecei minha causa com palavras tão excelsas; porém, com grande tremor e temor, como também São Paulo confessa de si mesmo em 1Cor 2,3, ele que certamente também teria sabido gloriar-se de voz celestial. Quão humildemente ataquei o papa, como eu implorava, como eu procurava, como o provam os meus escritos. Contudo, realizei, dentro desse espírito pobre, aquilo que o espírito devorador do mundo ainda não tentou, mas até o momento temeu e evitou mui cavalheiresca e virilmente e ainda se vangloria francamente de um tal receio, como de um feito cavalheiresco sublime do espírito.

Pois eu me encontrei em Leipzig diante da mais perigosa comunidade[16]. Em Augsburg compareci, sem comitiva, diante do meu maior inimigo[17]. Em Worms estive em pé diante do imperador e de todo o império, apesar de já saber com antecedência que me havia sido quebrada a escolta e que insídia e astúcia ferozes e estranhas estavam dirigidas contra mim.

Quão fraco e pobre eu também estava naquela situação. Meu coração, porém, naquele tempo estava assim: se eu soubesse que teriam mirado sobre mim tantos demônios como havia telhas nos telhados de Worms, assim mesmo teria entrado a cavalo – e ainda nunca tinha ouvido qualquer coisa sobre voz celestial, dos tesouros e obras de Deus, nem do espírito de Allstedt[18]. Repetindo, tive de confessar em recantos, a um, dois, três, a quem, onde e como se queria. Meu espírito débil e pobre teve de ficar exposto abertamente como uma flor do campo e não pôde determinar nenhuma hora, pessoa, lugar, modo ou medida; teve de estar pronto para cada um e estar à disposição para responder, como São Pedro ensina.

E esse espírito que se eleva tão alto sobre nós como o sol sobre a terra, que mal nos enxerga como vermezinho, exige para si mesmo críticos e ouvintes inofensivos, amáveis e seguros, e não está pronto para responder a dois ou três em locais reservados. Sente algo que não gosta de sentir e julga assustar-nos com palavras infladas. Pois bem, não somos capazes de nada senão daquilo que Cristo nos dá. Se este nos quer abandonar, assusta-nos até uma folha sussurrante; mas se ele nos quer sustentar, então este espírito deve se tornar consciente da sua alta glória.

E com isso me coloco à disposição de Vossas Altezas. Se necessário, quero trazer à tona como transcorreu o encontro entre mim e esse espírito na minha salinha, e por aí Vossas Altezas e todo mundo devem perceber e deduzir que tal espírito certamente é um demônio mentiroso e, além disso, ainda um mau demônio. Tive um pior contra mim, ainda o tenho diariamente. Pois os espíritos que batem e fazem barulho com palavras tão orgulhosas não fazem nada, mas são perigosos aqueles que rastejam furtivamente e fazem dano antes que se os perceba.

Foi necessário narrar isto para que Vossas Altezas não tenham receio nem hesitem ante este espírito e contribuam com séria determinação para que detenham a violência e suspendam a demolição de conventos e igrejas e a incineração de imagens de santos, mas que, se quiserem demonstrar seu espírito, ajam como convém e antes se identifiquem, seja diante de nós ou diante dos papistas. Pois – Deus seja louvado – nos consideram inimigos piores do que os papistas. Agem assim, mesmo que usufruam da nossa vitória, tomem mulheres, suspendam leis papais, algo que não conquistaram pela sua luta e pelo qual seu sangue não esteve em perigo; eu, porém, tive de consegui-lo pelo meu corpo e pela minha vida, que até agora arrisco. Sou eu quem se deveria gloriar, como também São Paulo teve de fazê-lo, se bem que isso é uma tolice e eu preferiria deixá-lo, se pudesse, em vista dos espíritos mentirosos.

Dizendo eles novamente, como costumam fazer, que seu espírito é demais elevado e o nosso demais pequeno e que sua causa não pode ser reconhecida por nós, eu respondo: São Pedro também estava bem consciente de que seu espírito e o de todos os cristãos era mais elevado do que o dos gentios e judeus. Não obstante, ele ordena: Devemos estar dispostos e prontos para responder afavelmente a cada um. Cristo também sabia que seu Espírito era mais elevado que o dos judeus, apesar disso humilhou-se e ofereceu-se à justiça, dizendo: "Quem dentre vós me acusa de pecado?" (Jo 8,46), e perante Anás: "Se falei mal, dá testemunho do mal" etc. (Jo 18,23). Também sei, e estou certo disso pela graça de Deus, que sou mais versado na Escritura do que todos os sofistas e papistas; mas do orgulho Deus até agora me protegeu graciosamente e também me guardará para que não me negue a dar resposta e me fazer ouvir ante os mais ínfimos entre os judeus ou os pagãos, ou quem quer que seja.

Além do mais, por que propagam sua causa por escrito, se não querem encontrar-se perante dois ou três, ou uma comunidade mais perigosa? Ou creem que seu escrito chega apenas à comunidade inofensiva e não cai nas mãos de dois ou três adversários?

Sim, causa-me admiração como dessa forma esquecem seu espírito e agora pretendem instruir as pessoas oralmente e por escrito, visto exaltarem que cada um precisa ouvir a voz de Deus pessoalmente e zombam de nós por anunciarmos a Palavra de Deus oralmente e por escrito, como se isto nada fosse ou não fosse útil. De fato, eles têm um ministério muito mais elevado do que os apóstolos e profetas e que o próprio Cristo, pois todos estes transmitiram a Palavra de Deus oralmente ou por escrito e nunca falaram qualquer coisa de vozes celestiais, divinas, que deveríamos ouvir. Tanto prestidigita este espírito delirante[19], que nem ele mesmo percebe o que fala.

Porém, eu sei que nós, que temos e conhecemos o Evangelho, mesmo sendo pobres pecadores, possuímos o Espírito verdadeiro, ou, como Paulo diz: *Primitias Spiritus* (Rm 8,23), as primícias do Espírito, mesmo que não a plenitude do Espírito. Pois não há outro além do mesmo, um só Espírito, que distribui maravilhosamente suas dádivas. Sabemos o que é fé, amor e cruz, e na terra nada mais alto existe para ser conhecido do que fé e amor. A partir daí sabemos e somos capazes de julgar qual doutrina é verdadeira ou falsa, qual está ou não está de acordo com a fé. Deste modo também conhecemos e avaliamos esse espírito mentiroso, que tem em mente o seguinte: abolir a Escritura e a palavra oral de Deus[20], extinguir os sacramentos do Batismo e do altar e nos fazer entrar no espírito pelo qual tentamos Deus com as próprias obras e o livre-arbítrio e devemos aguardar sua obra, e ainda determinamos hora, lugar e medida para quando Ele quiser agir conosco.

Pois seu escrito demonstra tal atrevimento horrível que até escreveu com palavras expressas contra o Evangelho de São Marcos, a saber, assim: "Contra Marcos no último capítulo", como se São Marcos tivesse escrito indevidamente sobre o Batismo. E como não podem bater na boca de São João, assim batem na boca de São Marcos: "Quem não nascer do Espírito e da água" (Jo 3,5) eles interpretam a palavra *água* não sei em que sentido, e pura e simplesmente repudiam o batismo corporal na água[21].

148

Mas eu gostaria de saber por que o Espírito não é sem frutos e o espírito deles é tão mais elevado do que o nosso. Sim, ele verdadeiramente deve produzir frutos diferentes e melhores do que os nossos, por ser melhor e mais elevado. Pois assim ensinamos e confessamos, que o nosso Espírito, o qual pregamos e ensinamos, traz os frutos que São Paulo enumera em Gl 5,22 como sendo amor, alegria, paz, paciência, bondade, fidelidade, mansidão e moderação, e, como ele diz em Rm 8,13, que o espírito mortifica as obras da carne e crucifica com Cristo o velho Adão, com suas paixões (Gl 5,24). Em suma, o fruto do nosso Espírito é o cumprimento dos Dez Mandamentos de Deus. Assim, pois, o espírito de Allstedt, que quer aniquilar nosso Espírito, deve certamente produzir algo superior aos frutos de amor e fé, paz, paciência etc., visto que São Paulo considera o amor como o supremo fruto (1Cor 13,13). Tal espírito deve, pois, realizar coisas bem melhores do que as ordenadas por Deus. Eu gostaria de saber o que isto seria, conquanto sabemos que o Espírito, "adquirido" através de Cristo, é dado tão somente para cumprirmos o mandamento de Deus, como Paulo diz em Rm 8,4.

Se, porém, dissessem: "Não vivemos como ensinamos e não possuímos um espírito que traga tais frutos", aceito muito bem o que disseram, pois nisso poderíamos sentir concretamente que não é um bom espírito que fala de dentro deles. Nós mesmos o confessamos e não é necessário buscá-lo através de uma voz celestial ou de um espírito superior, que lamentavelmente não fazemos tudo o que deveríamos. Sim, São Paulo julga, Gl 5,17, que jamais se concretiza tudo porque espírito e carne coexistem e são contrários na terra.

Assim também ainda não sinto nenhum fruto especial do espírito de Allstedt, senão que ele quer usar da violência e quebrar madeira e pedra[22]. Amor, paz, paciência, bondade e mansidão até agora ainda se abstiveram de mostrar, para que os frutos do Espírito não se tornem comuns demais. Mas pela graça de Deus posso apresentar muitos frutos do Espírito entre os nossos e certamente também, por mais que ele também repreenda minha vida, eu poderia opor unicamente a minha pessoa, que é a menor e mais pecaminosa, a todos os frutos de todo espírito de Allstedt, se o louvor valesse.

Mas que se censure a doutrina de alguém por causa da vida frágil, isto não é fruto do Espírito Santo. Pois o Espírito Santo censura doutrina falsa e tolera os fracos na fé e na vida, como Paulo ensina em Rm 14,1s. e 15,1, e também em todos os lugares. Também não me toca o fato de que o espírito de Allstedt seja tão infrutífero, e sim que ele mente desse modo e quer erigir uma nova doutrina. Também me envolveria pouco com os papistas, desde que ensinassem corretamente; sua vida pouco exemplar não causaria grande dano. Pelo fato de esse espírito querer chegar ao ponto de se escandalizar com nossa vida enferma e julgar tão atrevidamente a doutrina pela vida, está provado suficientemente quem ele é. Pois o Espírito de Cristo não condena ninguém que ensina corretamente e tolera, sustenta e auxilia os que ainda não vivem direito, não desprezando os pobres pecadores, assim como esse espírito farisaico o faz.

Pois bem, isso diz respeito à doutrina, e esta no decorrer do tempo seguramente ainda se mostrará. Agora seja isto a suma, clementíssimos senhores: Que Vossas Altezas não devam proibir o ministério da palavra. Deixe-se que preguem confiada e animadamente o que sabem e contra quem quiserem; pois, como eu disse, precisam existir seitas e a Palavra de Deus precisa estar no campo de batalha e lutar. Daí que os evangelistas também são denominados exércitos (Sl 68,12) e os profetas chamam a Cristo de *Rei dos exércitos*. Se seu espírito é verdadeiro, ele não se amedrontará perante nós e permanecerá. Se o nosso é verdadeiro, também não se amedrontará perante eles, nem perante alguém. Deixem os espíritos se entrechocarem e se baterem. Se nisso alguns são desviados, que seja, pois é o que acontece numa verdadeira guerra. Onde há luta e guerra, alguns precisam sucumbir e ser feridos; mas quem luta honestamente será coroado.

Mas onde querem mais do que lutar com a palavra, desejando também destruir e usar de violência. Vossas Altezas devem intervir, sejamos nós ou eles, e imediatamente enxotá-los do país, como foi dito: "De bom grado queremos admitir e ver que lutais com a palavra, para que a doutrina verdadeira seja comprovada; mas suspendei a violência, pois isto é nosso ofício, senão abandonai o país". Pois nós que conduzimos a Palavra de Deus não devemos lutar com armas. É uma luta espiritual que liberta do diabo os corações e as almas, e assim também está descrito em Daniel, que o anticristo deve ser destruído sem uso das mãos. De igual modo fala Isaías, em 11,4, que Cristo lutará no seu reino com o espírito da sua boca e com a vara dos seus lábios. Pregar e sofrer é nosso ministério; não, porém, usar de violência e se defender. Assim também Cristo e seus apóstolos não destruíram igrejas nem quebraram imagens, mas conquistaram os corações com a Palavra de Deus, e depois disso igrejas e imagens caíram por si mesmas.

Assim devemos fazer também nós: Primeiramente libertar dos conventos e das fantasias espirituais os corações. Quando estes então se forem, de modo que igrejas e conventos se encontrem desertos, deixe-se os governantes fazer deles o que lhes aprouver[23]: que nos importam madeira e pedra quando afastamos deles os corações? Veja como eu procedo; nunca ainda toquei numa pedra e nada quebrei ou queimei nos conventos. Não obstante, em muitos lugares os conventos se esvaziam através da minha palavra, também sob os príncipes que são contrários ao Evangelho[24]. Se eu tivesse tomado a causa de assalto, como esses profetas, os corações teriam continuado presos no mundo inteiro e eu teria rompido pedra e madeira num ou noutro lugares. A quem isso teria sido útil? Glória e honra talvez se busque por meio disso. A salvação da alma em verdade não se procura desse modo. Alguns são do parecer de que eu tenha feito mais dano ao papa sem a violência do que um rei poderoso jamais o conseguiria. Como, porém, esses profetas queriam fazer algo especial e melhor, mas não conseguem, deixam as almas por serem salvas e atacam madeira e pedra. Será que isso deve ser a nova e maravilhosa obra do elevado espírito?[25]

Se nesse ponto, porém, quisessem objetar que na lei de Moisés foi ordenado aos judeus quebrar todos os ídolos e exterminar os altares dos falsos deuses, cabe responder que eles mesmos sabem muito bem que Deus desde o princípio agiu pela mesma palavra e fé, por intermédio de vários santos e de várias obras. E a Epístola aos Hebreus explica isto, dizendo: Devemos seguir a fé de tais santos, pois não podemos seguir a obra de todos eles. Se, pois, os judeus quebraram altares e ídolos, é porque tiveram na época uma determinada ordem de Deus para tanto, mas tal ordem nós não temos no tempo atual. Quando Abraão planejou sacrificar seu filho, ele tinha ordem expressa para fazê-lo; nós, entretanto, depois disso, faríamos mal se sacrificássemos as crianças. O que não se deve fazer é imitar as obras, senão também nós deveríamos ser circuncidados e praticar todas as obras judaicas.

Se fosse correto que nós cristãos devêssemos destruir igrejas e assaltar como os judeus, então também deveríamos matar fisicamente todos os não cristãos, bem como havia sido ordenado aos judeus matar os canaanitas e amorritas, quebrá-los tão impiedosamente como as imagens dos santos. Com isso o espírito de Allstedt nada mais teria a fazer senão derramar sangue. E os que não escutassem sua voz celestial deveriam todos ser estrangulados por ele, para que não ficassem entre o povo de Deus os escândalos, que são muito maiores em não cristãos vivos do que em imagens de madeira e pedra. Para esse fim havia sido dada uma ordem aos judeus, como sendo o povo que fora confirmado por milagres de Deus e que certamente era o povo de Deus, mas mesmo assim agia com poder e autoridade regular, e não através de um bando segregado. Mas esse espírito ainda não provou que lá esteja povo de Deus, nem mesmo com um único milagre. Para esse fim ele mesmo se amotina a si mesmo[26], como se ele sozinho fosse povo de Deus, e age sem o poder ordenado por Deus e sem determinação divina, e quer que se dê crédito ao seu espírito.

Afastar o escândalo é algo que deve acontecer pela Palavra de Deus. Pois mesmo que todos os escândalos exteriores estiverem quebrados e eliminados, de nada adianta se os corações não forem conduzidos da descrença à fé verdadeira. Um coração descrente acha sempre novo escândalo, como aconteceu entre os judeus que erigiram dez ídolos após terem destruído um. Por isso, no Novo Testamento deve ser adotada a maneira certa para afugentar o diabo e os escândalos, a saber, a Palavra de Deus, e por meio dela desviar os corações. Desse modo certamente o diabo cairá por si mesmo com todo o seu esplendor e poder.

Desta vez quero ficar nisso e rogo submissamente a Vossas Altezas para empreenderem com toda seriedade contra tal arremetida e fanatismo, para que nessas coisas somente seja procedido através da Palavra de Deus, como convém a cristãos, e a causa do tumulto, ao qual o senhor *omnes*[27] como de costume, está mais do que imensamente inclinado, seja evitada. Pois não são cristãos os que, passando por cima da Palavra de Deus, também querem avançar pela violência, e, pelo contrário, não estão dispostos a padecer tudo, mesmo que se vangloriassem de estarem cheios, mais do que cheios, de dez "espíritos santos".

De Vossas Altezas submisso

Martinho Lutero

Tradução de Arno F. Steltzer

5

Contra as hordas salteadoras e assassinas dos camponeses*

(início de maio de 1525)

Contra os camponeses impetuosos

No livrinho anterior[1] não me era permitido condenar os camponeses, porque eles mostravam os melhores e mais justos propósitos, conforme Cristo ordena que não se deve condenar (Mt 7,1). Mas antes que eu me desse conta, eles prosseguem e passam a usar violência. Esquecendo sua disposição, roubam, esbravejam e agem como cães raivosos. Nisso se percebe claramente o que tiveram em sua mente falsa e que nada foi senão mentira o que apresentaram em nome do Evangelho nos *Doze artigos*. Numa palavra, praticam nada mais do que ações do diabo e é principalmente o arquidiabo[2] que governa em Mühlhausen, que nada mais promove senão roubo, assassinato, derramamento de sangue, como

155

Cristo diz dele em Jo 8,44: que ele é um assassino desde o início. Como, pois, agora tais camponeses e gente miserável se deixam seduzir e agem de modo diferente do que falaram, também eu preciso escrever de modo diferente acerca deles e primeiramente colocar-lhes diante dos olhos seu pecado, como Deus ordena a Isaías e Ezequiel, para ver se porventura alguns caiam em si, e em segundo lugar para instruir a consciência da autoridade temporal, a fim de que saiba como deve proceder no caso.

Esses camponeses colocam sobre si três pecados horríveis contra Deus e os homens, pelo que merecem multiplamente a morte do corpo e da alma.

O primeiro, é que juraram à sua autoridade fidelidade e respeito, bem como submissão e obediência, como Deus o ordena, dizendo: "Dai a César o que é de César", e em Rm 13,1: "Todo homem seja sujeito à autoridade" etc. Mas pelo fato de quebrarem maligna e criminosamente essa obediência e ainda se oporem a seus senhores, com isso comprometeram corpo e alma, como os patifes e malfeitores desleais, perjuros, mentirosos e desobedientes costumam fazer. Por isso São Paulo também pronuncia tal sentença sobre eles, em Rm 13,2: "Aqueles que se opõem à autoridade trarão sobre si mesmos condenação"[3]. Essa sentença atingirá, finalmente, também os camponeses, aconteça em breve ou mais tarde; pois Deus quer que sejam mantidos a fidelidade e o cumprimento da obrigação.

O segundo pecado é por causarem tumulto, roubarem e saquearem criminosamente conventos e castelos, que não lhes pertencem, pelo que, certamente, como notórios assaltantes de estradas e assassinos, já merecem duplamente a morte de corpo e alma. De fato, um homem revoltoso, do qual se pode provar sua culpa, já se encontra sob a proscrição de Deus e do imperador, de modo que, quem primeiro o puder e quiser estrangular, age bem e corretamente, pois sobre um rebelde notório qualquer pessoa é ambas as coisas: juiz e executor. Acontece algo semelhante quando surge um incêndio: quem conseguir apagar primeiro é o melhor. Ora, revolta não é um simples assassinato, mas é como uma grande fogueira que inflama e devasta um país inteiro. Assim, a revolta acarreta consigo um país cheio de assassinato e derramamento de sangue, faz viúvas e órfãos e aniquila tudo, como a maior de todas as desgraças. Por isso, nesse caso, quem puder deve destroçar, estrangular e apunhalar às escondidas ou em público, e deve lembrar-se de que nada mais peçonhento, mais nocivo e mais diabólico pode existir do que um homem subversivo. E como quando se precisa matar um cachorro raivoso: se tu não eliminas tal homem, ele abate a ti e, contigo, todo um país.

O terceiro é que encobrem com o Evangelho tal pecado terrível e horripilante, denominam-se irmãos[4] cristãos, prestam juramento, aceitam reverências e obrigam as pessoas a acompanhá-los em tais horrores. Com isso tornam-se os maiores blasfemos e sacrílegos do santo nome de Deus, e dessa maneira honram e servem ao diabo sob as aparências do Evangelho. Nisso com certeza merecem dez vezes a morte em corpo e alma, pois jamais ouvi falar de pecado mais abominável. E creio também que o diabo esteja pressentindo o juízo final ao empreender tal coisa inaudita. E como se quisesse dizer: "É a última, por isso seja a pior, e quero remexer a mistura e expelir completamente a borra". Deus o impeça! Vê aí que príncipe poderoso é o diabo, como ele tem nas mãos o mundo e o consegue embaralhar, num instante consegue captar, seduzir, ofuscar, tornar obstinados e revoltar tantos milhares de camponeses e fazer com eles o que sua ira mais furiosa se propõe.

Também de nada adianta aos camponeses alegarem que conforme Gn 1 e 2 todas as coisas teriam sido criadas livres e comuns[5] e que todos somos batizados igualmente. Ora, no Novo Testamento Moisés não se mantém nem vale[6], mas aí está nosso Mestre, Cristo, que nos submete com corpo e bens sob o poder do imperador e sob o direito temporal, dizendo: "Dai a César o que é de César". Assim também fala Paulo em Rm 13,1 a todos os cristãos batizados: "Todo o homem esteja sujeito às autoridades", e Pedro: "Sujeitai-vos a toda instituição humana" (1Pd 2,13). Temos obrigação de viver conforme esta doutrina de Cristo, como o Pai ordena do céu ao dizer: "Este é o meu filho amado, ouvi-o!" (Mt 17,5). Pois o Batismo não liberta corpo e bens, porém as almas. O Evangelho também não torna comuns os bens, exceto para aqueles que o querem fazer espontaneamente a partir de si mesmos, como o fizeram os apóstolos e discípulos (At 4,33s.). Eles não exigiam que os bens alheios, de Pilatos e Herodes, fossem comuns, como os nossos camponeses insensatos reclamam; porém o faziam com seus próprios bens. Mas os nossos camponeses querem ter em comum os bens dos outros, os alheios, e ficar com os seus próprios[7]. Eles são para mim "cristãos exímios!" Parece-me que não mais existe um diabo no inferno, mas que todos juntos se incorporaram nos camponeses. A fúria é exagerada e excede a todas as medidas.

Como, pois, os camponeses carregam sobre si a maldição de Deus e dos homens, são várias vezes réus de morte no corpo e na alma e não têm nenhum direito em seu favor, mas esbravejam ininterruptamente. – Devo aqui instruir a autoridade temporal de que maneira deve proceder de boa consciência neste caso: Primeiramente, não quero impedir a autoridade temporal, que pode e quer, de derrotar e punir tais camponeses, sem recurso prévio ao direito e à justiça, mesmo que tal autoridade não siga o Evangelho. Pois ela possui o bom direito, agora que os camponeses já não mais lutam pelo Evangelho, mas se tornaram publicamente assassinos, ladrões e blasfemos infiéis, perjuros, desobedientes, subversivos. Também a autoridade pagã tem direito e poder de castigar. Sim, tem obrigação de castigar tais patifes, pois para isso ela leva a espada e é serva de Deus sobre aquele que pratica o mal: Rm 13,4.

Entretanto, a autoridade que é cristã e aceita o Evangelho, razão pela qual os camponeses não possuem uma sombra de direito contra ela, aqui deve agir com temor. Primeiramente deve entregar a causa a Deus e confessar que provavelmente merece isso, pois é de preocupar-se que Deus talvez excite o diabo dessa maneira para castigo geral da terra alemã. Depois disso, nós pedimos humildemente por auxílio contra o diabo. Ora, aqui não lutamos apenas contra sangue e carne, mas contra os malfeitores espirituais no ar (cf. Ef 6,12), que devem ser atacados pela oração. Se, pois, o coração está voltado para Deus, de modo que deixe sua vontade reinar, para ver se talvez quer ter-nos, ou não, como príncipes e senhores, então devemos colocar-nos sobejamente à disposição dos camponeses loucos – apesar de não o merecerem – para praticar o direito e a equidade[8]. Depois, se isso não ajudar, deve-se logo empunhar a espada.

Pois um príncipe e senhor deve considerar nesse caso que ele é ministro de Deus e servidor da sua ira (Rm 13,4), que lhe foi confiada a espada para domínio de tais patifes e está pecando diante de Deus se não castiga e combate e não desempenha a sua função, na mesma medida em que pecaria aquele que matasse, embora a espada não lhe tivesse sido confiada.

Pois onde ele tem condições para castigar e não o faz, ainda que por assassinato ou derramamento de sangue, ele é culpado de todo assassinato e maldade que tais patifes cometem, como alguém que ao relaxar o cumprimento de seu mandato divino permite intencionalmente que tais patifes pratiquem maldade, apesar de poder e ter obrigação de impedi-los. Por isso, agora não é hora de dormir. Também não cabem paciência e misericórdia; aqui é hora da espada e da ira, e não da graça.

Que a autoridade prossiga confiante e ataque de boa consciência, enquanto consegue mover uma veia. Pois nesse caso é sua vantagem o fato de que os camponeses têm má consciência e causam injustiças e que cada camponês que é abatido está perdido com corpo e alma e pertence eternamente ao diabo. Porém, a autoridade tem boa consciência e causas justas, e pode falar a Deus assim, com toda a certeza do coração: "Veja, meu Deus, Tu me instituíste como príncipe ou senhor, do que não posso duvidar, e me ordenaste usar a espada contra os malfeitores (Rm 13,4). É tua palavra, e ela não pode mentir. Assim devo executar tal função sob pena de perder tua graça. Assim também é evidente que esses camponeses, perante ti e o mundo, merecem multiplamente a morte, e foi-me ordenado que os puna. Se, entretanto, queres que eu seja morto por eles e queres novamente tornar-me a autoridade e me deixar morrer, pois bem, então cumpra-se a tua vontade. Assim, contudo, tombo e pereço no cumprimento do teu mandamento divino e da tua Palavra, e serei encontrado na obediência à tua ordem e no desempenho da minha função. Por isso, quero castigar e lutar enquanto tiver um sopro de vida. Tu o julgarás retamente e farás".

Assim, pois, pode suceder que aquele que é abatido ao lado da autoridade seja um verdadeiro mártir perante Deus, se lutar com tal espírito, como foi dito. Pois ele vai segundo a Palavra de Deus e na obediência a Ele. Em compensação, o que morre ao lado dos camponeses é um combustível do inferno, pois ele usa a espada contra a Palavra de Deus e sua obediência, e é um membro do diabo.

E mesmo que acontecesse que os camponeses vencessem – isso Deus previna! –, pois para Deus todas as coisas são possíveis e nós não sabemos se Ele talvez, para preparação do juízo final[9], que não deve estar distante, não queira destruir através do diabo toda ordenação e autoridade e não queira lançar o mundo num amontoado de escombros; mesmo então, porém, morrem seguros e fracassam com sã consciência aqueles que são encontrados no ministério da sua espada e cedem ao diabo o reino do mundo[10]. Vivemos hoje tempos tão maravilhosos, nos quais um príncipe pode merecer o céu com derramamento de sangue, melhor do que outros pela oração[11].

Para finalizar, ainda existe mais uma coisa que com toda a razão deve mover a autoridade. Os camponeses não se dão por satisfeitos pelo fato de eles mesmos pertencerem ao diabo, mas obrigam e impelem muitas pessoas piedosas, que o fazem contra a sua vontade, à sua aliança diabólica, e assim as tornam participantes de toda a sua maldade e perdição.

Ora, quem concorda com eles também com eles partirá para o diabo e é culpado de todo delito que eles praticam. Tais pessoas precisam fazê-lo por terem uma fé tão fraca, que não resiste, pois um cristão piedoso deveria sofrer cem mortes antes de aceitar, por pouco que seja, a causa dos camponeses. Oh, agora poderiam surgir muitos mártires através dos camponeses sanguinários e profetas assassinos! Ora, de tais cativos entre os camponeses a autoridade se deveria compadecer; e se ela não tivesse outro motivo para usar confiadamente a espada contra os camponeses e empenhar, ela mesma, corpo e bens, então este seria suficientemente grande, que se salvassem e auxiliassem tais almas que são obrigadas pelos camponeses a tal aliança diabólica e que, contra sua vontade, pecam com eles tão horrivelmente e devem ser condenadas. Pois tais almas estão de todo no purgatório, sim, no inferno e nos grilhões do diabo.

Por isso, caros senhores, livrai aqui, salvai aqui, auxiliai aqui, compadecei-vos da pobre gente; apunhale, bata, estrangule quem puder! Se nisso pereceres, ditoso és, pois uma morte mais bem-aventurada jamais poderás receber. Pois então morrerás na obediência da Palavra e da ordem divinas (Rm 13,4), e a serviço do amor para salvar teu próximo do inferno e dos grilhões do diabo.

Por isso, agora peço: quem puder, fuja dos camponeses como do próprio diabo. Porém, para os que não fugirem, rogo a Deus para que os queira iluminar e converter. Os que, porém, não se deixam converter, permita Deus que não tenham sorte nem êxito. Aqui todo o cristão piedoso diga: Amém. Pois oração é reta e boa e agradável a Deus, tenho certeza. Se isto parece duro demais a alguém, então lembre-se que a insurreição é algo inadmissível, e que a destruição do mundo é de ser esperada a qualquer hora.

Tradução de Arno F. Steltzer

Notas

1

* Este texto foi publicado anteriormente em *Martinho Lutero* – Obras selecionadas. São Leopoldo/Porto Alegre: Sinodal/Concórdia, vol. II, 1989, p. 435-460.

1. *Mar. Lutheri tractatus de libertate christiana*, WA 7,49-73. Desde princípios de 1520 o conteúdo do *Tratado sobre a liberdade cristã* está fixado. Lutero apresenta-o em suas preleções e pregações. O título *Sobre a liberdade cristã* é quase que o antônimo do escrito *Do cativeiro babilônico da Igreja*, publicado em outubro de 1520. Pano de fundo do tratado é a experiência feita pela fé que se sabe livre das tentações. O esquema está determinado pela dupla tese paradoxal: "O cristão é um senhor libérrimo sobre tudo, a ninguém sujeito. O cristão é um servo oficiosíssimo de tudo, a todos sujeito". As categorias "pessoa exterior" e "interior" foram tomadas por Lutero da mística alemã e correspondem, em sua opinião, à antropologia do Apóstolo Paulo. A pessoa interior é idêntica ao justificado. Ela não é liberta nem presa por coisas exteriores. Isso deve ser dito tanto em relação às condições de vida quanto à prática cúltica ou de piedade. O caminho que leva à vida cristã, à justiça e à liberdade não é feito de meditações ou de especulações, mas unicamente pelo Evangelho de Jesus Cristo. Qual é esse Evangelho? A mensagem do Filho de Deus, que se encarnou, sofreu, morreu, ressuscitou e foi glorificado. O ministério de Cristo foi o ministério da Palavra. Esse é também o ministério dos bispos e dos sacerdotes. A mensagem de Cristo só pode ser recebida na fé, e, por isso, é a fé que justifica, é ela que traz a salvação, e não a obra externa. A exclusividade da justiça da fé é ainda sublinhada por um outro aspecto: a lei faz exigências, provocando, assim, o reconhecimento do pecado; Cristo, porém, promete, e, onde sua palavra é crida, une os cristãos com Ele. Isso as obras não conseguem. A fé na palavra da promessa rende glória a Deus. A essa fé Deus atribui a justiça. Ponto alto do tratado encontramos na descrição do relacionamento de Cristo e da alma, apresentado como relacionamento de noivo e noiva, cujo anel de noivado é a fé. Os noivos permutam todos os seus bens. Cristo dá sua justiça e bem-aventurança e a "meretrícula pobrezinha" lhe dá seu pecado. A novidade dessa descrição de Lutero não está no uso da mística de noiva, mas no fato de que Cristo se relaciona incondicionalmente com o ser humano. Essa concepção não pode ser partilhada pelo escolasticismo. Quando a fé deixa Deus ser Deus, a lei é cumprida. O relacionamento de Cristo com o crente não é abstrato, mas pleno de conteúdo: faz dos crentes reis e sacerdotes; apesar de seu enredamento em cruz e morte, estão acima de todas as coisas terrenas, em sentido espiritual, como corresponde ao reino de Cristo, isto é, não sendo dominadores. A essa realeza cristã alia-se a função sacerdotal, que consiste em comparecer diante de Deus e orar por outros. Com isso, não existe diferença entre sacerdotes e leigos. Os servidores eclesiásticos são os servos dos crentes. Com isso está eliminada qualquer tirania eclesiástica e destruído o cativeiro eclesiástico.

A segunda parte da tese paradoxal, que fala do caráter servil do cristão, diz, primeiro, respeito ao ser humano exterior, que ainda está na carne, voltando-se contra o libertinismo. O ser humano terreno ainda necessita do controle do próprio corpo. Essa ação não o justifica, mas é consequência da justificação. Lutero volta-se contra toda forma de pregação legalista e de confissão que prometem justificação. Esta vem tão somente do Evangelho. A lei só leva à descoberta do pecado. Em segundo lugar, o caráter servil do cristão diz respeito a seu relacionamento com o próximo. Segundo o exemplo de Cristo, o crente serve em liberdade servil, tornando-se "como um Cristo" para o próximo. No servir, a fé cumpre toda a justiça terrena. O cristão não tem sua existência em si mesmo, mas na fé em Cristo e no amor ao próximo. É dessa maneira que ele vive em comunhão com Deus.

Ao se avaliar o *Tratado sobre a liberdade cristã*, deve-se ter em mente que ele fala da liberdade resultante da justificação. Sua argumentação está dirigida contra um legalismo eclesiástico. Aqui está seu significado emancipatório, pois se volta contra uma Igreja repressora. Contra essa Igreja repressora o tratado pergunta pela força que possibilita liberdade. A liberdade cristã é proveniente de Deus, é presente dele, e não é conseguida através de ativismo que busca autorrealização religiosa. A visão antropológica subjacente ao tratado vai além do anseio por liberdade em seu relacionamento com Deus. Essa concepção está em oposição ao conceito antropológico de então e também colide com concepções modernas a respeito das potencialidades do ser humano. Uma de suas consequências é um engajamento muito humano em prol de salvação plena para o próximo.

Da liberdade cristã teve muitas edições. Em 1520 foram publicadas nove edições alemãs e três latinas. Já no ano seguinte haveria mais quatro alemãs e quatro latinas. Entre as edições conhecidas sabe-se de impressões em Wittenberg, Antuérpia, Basileia, Leipzig, Estrasburgo e Augsburgo (Martin N. Dreher).

2. Cf. Gl 4,4.

3. Cf. Fl 2,6s.

4. *Sc.* à alma.

5. Trata-se do Sl 119, designado de *octonarius* por estar subdividido em seções de oito versículos.

6. Cf. Am 8,11s.

7. Cf. 1Rs 18,21.

8. Cf. Jó 31,27.

9. Cf. 1Pd 5,10.

10. Cf. Ex 20,17.

11. Ibid.

12. Trata-se de 1Sm.

13. Cf. Ef 5,31s.

14. Cf. Ef 5,31s.

15. Cf. Ex 20,3.5; Dt 6,13; Mt 4,10; Lc 4,8.

16. *Res insensatae,* no original. "Coisas inanimadas" (cf. Harold J. Grimm (ed.). *Luther's Works.* Filadélfia: Muhlenberg, 1958, vol. 31 [Career of the Reformer: I], p. 353) também seria uma tradução plausível.

17. Cf. Ex 13,2; 22,29s.

18. Cf. Jo 18,36.

19. Cf. Hb 5–7.

20. Cf. 2Cor 12,9.

21. Cf. Rm 8,15; Gl 4,6.

22. Cf. Jo 9,31.

23. *Sc.* Deus.

24. Fredo, *Fábulas* I, 4.

25. Cf. Lm 1,11.

26. Cf. Sl 112,7s.

27. *Sc.* a vontade da carne.

28. Cf. 2Tm 3,13.

29. Cf. Mt 5,14.

30. Cf. Is 27,1; Jó 41,1.

31. *Sc.* através das obras.

32. Cf. Mt 7,15.

33. *Sc.* o leviatã, a convicção perversa a respeito das obras.

34. Cf. Mt 13,52.

35. Cf. Fl 2,7.

36. Cf. Ef 4,28.

37. Cf. Gl 6,2.

38. Cf. Gl 5,6.

39. Cf. Mt 5,45.

40. Cf. Rm 5,5.

41. Cf. At 16,1-3.

42. Cf. Sl 58,4s.

43. Cf. Gl 2,3.

44. Cf. Mt 12,1s.

45. Cf. Rm 14,1.

46. Cf. 1Cor 8,13.

47. Cf. Hb 12,15.

48. Cf. 2Tm 3,5.

49. Cf. Jo 6,45; Is 54,13; Jr 31,22.

50. Cf. 1Cor 2,7.

51. Cf. Sl 67,1s.

52. Cf. 2Cor 11,31.

2

* Este texto foi publicado anteriormente em *Martinho Lutero* – Obras selecionadas. São Leopoldo/Porto Alegre: Sinodal/Concórdia, vol. VI, 1996, p. 79-114.

1. *Von weltlicher Obrigkeit, wie man Gehorsam schuldig sei.* – WA 11, 245-280. Base para o escrito são sermões proferidos em Weimar nos dias 19, 24, 25 e 26 de outubro de 1522, num total de seis. Especialmente no terceiro e quarto sermões Lutero se pronunciaria a respeito do "Reino de Deus e do poder secular". A ideia de preparar o texto já vinha de longa data, mas a redação deveu-se à solicitação de Wolfgang Stein, pregador da corte de Weimar, e do Duque João Frederico, da Saxônia. A redação foi iniciada em meados de dezembro, sendo a dedicatória a João Frederico, datada do "dia do ano-novo de 1523", isto é, do Natal de 1522. Sua publicação, porém, deu-se em março de 1523, pois a 21 de março o Duque Jorge, da Saxônia, o Barbudo (1471-1539), duque (governante) da Saxônia albertina desde 1500, apresentou queixa a seu respeito ao príncipe-eleitor. Jorge, da Saxônia, proibira, a 7 de novembro de 1522, compra e venda da edição do Novo Testamento preparada por Lutero. Este vai se referir ao fato em nosso escrito, que faz parte do gênero literário designado "Instruções para governantes" (Fürstenspiegel).

2. João, o Constante (1468-1532), irmão de Frederico, o Sábio, ao qual sucedeu no eleitorado em 1525. Menos sagaz politicamente do que seu irmão, João foi, não obstante, homem corajoso e de profunda convicção evangélica. Foi ele quem, na ausência do príncipe-eleitor, recusou a publicação da bula contra Lutero. Foi ele quem recomendou a seu irmão que adotasse a causa da reforma mais abertamente. Foi a ele que Lutero, escondido no Wartburgo, mandou folhas avulsas de sua tradução do Novo Testamento, para que o duque pudesse ler a Bíblia diariamente.

3. Três anos antes, em 1520, Lutero escrevera a carta aberta "À nobreza cristã de nação alemã, acerca do melhoramento do estamento cristão" – cf. *Obras selecionadas*, vol. II, p. 277-340.

4. Volusiano manteve uma correspondência assídua com Agostinho, então bispo de Hipona, no ano 412, sobre suas dúvidas teológicas. No entanto, seus problemas sobre a compatibilidade da doutrina de Cristo da não resistência com as leis e os costumes do Estado foram discutidos na correspondência entre Agostinho e Marcelino, procônsul da África, no mesmo ano de 412. Marcelino fora indicado pelo Imperador Honório para presidir o sínodo de 411, que pôs um termo no cisma donatista. A ele Agostinho dedicou os dois primeiros livros de sua obra *A Cidade de Deus*. As referidas cartas de n. 136 e 138 encontram-se em: *Agostinho, Epistolae,* vol. III (Migne PL 33, 514-515 e 525-535).

5. Sofistas são, na terminologia de Lutero, os teólogos escolásticos em geral que, com seus argumentos rebuscados e aparentemente válidos, na realidade não chegam a ser conclusivos.

6. A questão "mandamento ou conselho" toma amplo espaço no confronto de Lutero com a teologia escolástica. A distinção entre "mandamento" e "conselho" vem desde Tertuliano (ca. 160-ca. 220), que debateu o assunto com base em 1Cor 7. Tomás de Aquino (ca. 1225-1274) também distinguia entre "mandamento" e "conselho" em termos de obrigação e opção. Afirmava-se que a nova lei da liberdade cristã logo passou a acrescentar "conselhos" aos mandamentos, o que a antiga lei da escravidão não fez. Esses "conselhos evangélicos" destinam-se a capacitar a pessoa a alcançar mais rapidamente a bem-aventurança eterna por meio da renúncia às coisas do mundo, por meio de pobreza, caridade e obediência. Os "conselhos evangélicos" não se destinavam a todos os cristãos, mas apenas a determinadas pessoas que estão em condições de observá-los, como dito em Mt 19,11.21. Cf. Tomás de Aquino, *Suma teológica* (I, II, q. 108, art. 3 e 7), onde se afirma que o estado da perfeição é conseguido melhor na vida monástica e no "estado episcopal" do que no "estado religioso".

7. Em março de 1522, o Duque Guilherme IV, da Bavária, proibira, num primeiro de uma série de despachos religiosos, a todos os seus súditos a leitura e discussão dos livros de Lutero. O Duque Jorge, da Saxônia, publicou ordem semelhante a seus oficiais em fevereiro de 1520.

8. Em decorrência do Edito de Worms, o Duque Jorge, da Saxônia, publicou, em novembro de 1522, uma proclamação, advertindo seus súditos a respeito da proibição anterior de comprar e ler os livros de Lutero. É bom lembrar que Lutero havia publicado há pouco o Novo Testamento em língua alemã, ilustrado com desenhos grotescos do papa. O duque ordenou a entrega de todas as cópias em troca do preço pago pelo livro.

9. Lutero tomou a figura das "escamas" de Jó 41,15-17. É seu preferido para designar os adeptos do papa: "Bolhas d'água" (*Wasserblasen,* no original). Tornara a designação comum para os decretos oficiais do papa. A *bulla* (literalmente "bolha") tomou seu nome da placa de chumbo com que eram selados os documentos oficiais na Idade Média, uma placa circular na forma de uma bolha de ar flutuando na água. Com sarcasmo Lutero dizia que as bulas papais não passavam de bolhas d'água. Possivelmente teve também em mente Ap 12,15. Cf. igualmente o sarcástico texto de Lutero: *Bulla Coenae Domini* – WA 8,712-713, de 1522.

10. Cf. Gn 4,13s.

11. Cf. Mt 5,17-22.

12. Cf. Mt 7,17-18.

13. As "postilas" são coleções de sermões expondo as epístolas e evangelhos dominicais e dos dias festivos do ano litúrgico. A chamada *Postila do Wartburgo* foi publicada a partir de março de 1522 em língua latina. Quanto ao tema "lei", cf. especialmente: *Evangelium Dominicae Adventus Domini* – WA 7, 472s., precisamente p. 476, 28s.

14. Cf. 1Tm 1,9.

15. Cf. Rm 3,23.

16. Lutero se refere aos grupos anabatistas e outras correntes espiritualistas, especialmente as lideradas por Tomás Müntzer, que derivavam exigências políticas do Evangelho. O movimento culminou na Guerra dos Camponeses, já em 1525.

17. Cf. Mt 26,52s.; Jo 18,36.

18. Cf. 2Sm 7,5s.

19. Cf. 1Rs 5,17s. O nome "Salomão" é derivado do termo hebraico *shalom* = paz. O equivalente alemão e Friedrich = rico de paz. Cf. Jerônimo. *Liber de nominibus hebraicis: "Salomon, pacificus, sive pacatus erit"* (Migne PL 23, 843).

20. Cf. O tratado de Martinho Lutero: *Sobre a liberdade cristã*, traduzido acima.

21. São Jerônimo (347-420), cognominado "doutor bíblico" por causa de suas pesquisas no campo da Sagrada Escritura. Como secretário do Papa Dâmaso empreendeu a revisão do texto ítalo da Bíblia, trabalho que resultou na versão que veio a ser denominada a *vulgata*. Como comentador bíblico, entrou em choque com Agostinho por causa de sua interpretação de Gl 2,11-14. Influenciado filosoficamente, Jerônimo cristalizou seu ponto de vista nos seguintes termos: "Cumprir as cerimônias da lei não pode ser um ato indiferente; ou há de ser mau, ou há de ser bom. Tu dizes que é bom; eu insisto em afirmar que está errado" (JERÔNIMO. *Epist.* 112, 16, Migne PL 22, 926).

22. Maurício, patrono de Magdeburgo, foi o comandante da legião tebana, que, segundo a lenda, era constituída exclusivamente de cristãos, 6 mil homens de Tebas, norte da África. Estavam dispostos a prestar serviço militar numa guerra justa, mas foram massacrados (ca. 287) por ordem do Imperador Maximiano Hercúleo (285-310) quando se recusaram a oferecer o usual sacrifício às divindades pagãs e a exterminar os cristãos. – Acácio, centurião capadócio no exército romano sediado na Trácia, foi torturado e decapitado em Bizâncio (ca. 303) sob o Imperador Diocleciano (284-305). Acácio passou a figurar entre os "quatorze auxiliadores nas necessidades" (cf. *Obras selecionadas*, vol. 2, p. 12). – Gereão: de acordo com uma tradição pouco confiável, foi integrante da legião tebana e teria sofrido o martírio juntamente com Maurício. – O Imperador Juliano (361-363) fez uma derradeira tentativa de derrotar o cristianismo e de "repaganizar" o império. Em sua época o exército já era constituído, em sua maioria, de cristãos.

23. Lutero costuma citar a Bíblia de memória. Daí decorrem diferenças nos termos e nas referências. No presente caso, associou 1Tm 4,4 com Tt l,15s.

24. Este tema é discutido em: *Debate circular sobre Mateus 19,21*.

25. Cf. Tertuliano, *De virginibus velandis*, c. 1: "Cristo não disse: 'Eu sou a prática comum', mas: 'Eu sou a verdade'" (MIGNE. *PL* 2, 889).

26. Cf. Mt 5,44.48.

27. Cf. Mt 5,34-37.

28. Cf. as palavras de Cristo que começam com: "Em verdade vos digo" e as passagens em que Paulo invoca Deus por testemunha: 2Cor 11,31 e Gl 1,20.

29. Aqui entram em choque dois princípios básicos. Lutero usa o princípio *sola Scriptura* como autoridade em questões de fé, e assim se opõe ao conceito da tradição reinante na Igreja. O que se deve entender por tradição foi definido de forma clássica por Vicente de Lerino (434): "Católico é o que foi crido em toda parte, sempre e por todos", conceito este que, mais tarde, levou à promulgação dos dogmas marianos da Imaculada Conceição, por Pio IX, em 8 de dezembro de 1854, e da Assunção corporal de Maria, em 10 de novembro de 1950, por Pio XII. Vicente de Lerino (m. antes de 450), teólogo francês, presbítero do mosteiro de Lerino, situado numa ilha perto de Nice, adversário da doutrina agostiniana sobre a graça e a predestinação, expôs seus pensamentos em dois *Commonitoria* (memoriais) a respeito do princípio da tradição.

30. Leipzig era a capital da Saxônia albertina, governada pelo hostil Duque Jorge, o Barbudo (1500-1539). Wittenberg era a capital da Saxônia ernestina ou Saxônia eleitoral, governada pelo Príncipe-eleitor Frederico, o Sábio (1486-1525), simpático à causa da reforma.

31. Cf. Mt 15,14; Lc 6,39.

32. A frase é uma glosa ao cânone *Erubescant impii*, dist. XXXII, c. XI nos *Decreta Gratiani*, parte II, onde se lê: *De manifestis quidem loquimur, secretorum autem cognitur et iudex est Deus* ("Nós falamos de coisas manifestas, mas Deus é conhecedor e juiz das coisas secretas").

33. AGOSTINHO. *Contra litteras Petiliani*, II, 184 (Migne PL 43, 315).

34. Entre muitas outras classificações de pecados, os teólogos escolásticos distinguem também nove "pecados alheios". O termo é derivado da tradução de 1Tm 5,22 na versão da *vulgata: manus cito nemini imposueris neque communicaveris peccatis alienis* ("não te apresses a impor as mãos a ninguém e não te faças participante de pecados alheios").

35. Quando Roma foi tomada e saqueada pelos godos, em 410, os gentios culparam os cristãos pelo desastre por terem abandonado os deuses romanos. Foi para refutar essa acusação que Agostinho escreveu *A Cidade de Deus*.

36. Os termos "ligar" e "desligar" são tomados de Mt 16,19 e se referem ao "poder das chaves", à faculdade de conceder o perdão após a confissão ou de não concedê-lo. Confira a respeito: "Um sermão sobre o Sacramento da Penitência". In: *Obras selecionadas*, vol. 1, p. 401-412.

37. Desde o séc. III, especialmente entre os poetas, o nome Lúcifer tem sido atribuído ao diabo, o anjo rebelde, expulso do céu, caído na terra, uma interpretação alegórica de Is 14,12 nos termos de Lc 10,18.

38. O Duque Jorge, da Saxônia, era também margrave de Meissen; na Bavária governava o Duque Guilherme IV (1493-1550), ferrenho adversário da reforma; Brandenburgo era governada pelo Duque Joaquim I (1484-1535), oponente pertinaz da reforma. O Novo Testamento em língua alemã veio a lume em setembro de 1522.

39. Lutero refere-se a uma fábula de Esopo. Conta que as rãs tiveram por primeiro rei um tronco de árvore, e o ridicularizaram. Então seu deus lhes deu uma cegonha por rei. Moral da história: Tal o povo, tal o rei.

40. Cf. Tt l,9s.

41. Como era em geral, também aqui Lutero cita conforme a *Vulgata: Effundit contemptum super principes.*

42. A previsão de Lutero se cumpriu dois anos depois, quando eclodiu a Guerra dos Camponeses (1524-1526).

43. Mais sobre a ordenação e o ministério pastoral em: "Do cativeiro babilônico da Igreja". In: *Obras selecionadas*, vol. II, p. 410-418.

44. A citação confere com a versão da Vulgala: *Ergo fides ex auditu, auditus autem per verbum Christi.*

45. Cf., p. ex.: "Das boas obras" e "Sobre a liberdade cristã". In: *Obras selecionadas*, vol. II, p. 97s. e 435s., respectivamente. "Sobre a liberdade cristã" está traduzido acima.

46. Cf. o provérbio: "A necessidade não conhece lei", tomado, possivelmente, de Tomás de Aquino. *Suma teológica*, 2,I, q. 96, art. 6.

47. Cf. 1Rs 3,12.

48. Cf. Nm 22,28.

49. Cf. Is 14,12; Lc 10,18 e tb. nota 37.

50. Cf. 2Cr 19,4s.

51. Cf. 2Sm 15,12–17,23; especificamente 16,23.

52. Cf. 2Sm 3,27; 20,10.

53. Cf. 1Rs 2,5s.

54. Cf. At 5,29.

55. Cf. Nm 35,10s.

56. Cf. 1Rs 3,9.

57. Cf. Mt 7,12; Lc 6,31.

58. Carlos, o Negro, duque da Borgonha de 1467-1477, foi realmente envolvido num caso singular desses. Em seu 4º sermão de Weimar, ponto do presente tratado, Lutero se refere a ele simplesmente como "um rei" (WA 10/III, p. 384).

59. AGOSTINHO. *De sermone domini in monte secundum Matthaeum*, liv. 1, c. 16.

3

* Este texto foi publicado anteriormente em *Martinho Lutero – Obras selecionadas.* São Leopoldo/Porto Alegre, Sinodal/Concórdia, vol. VI, 1996, p. 304-329.

1. Referência à "União Cristã" de camponeses do grupamento de Baltring, Bodensee e de Allgäu, cujas reivindicações foram reunidas no escrito programático *Die gründlichen und rechten Hauptartikel aller Bauernschaft und Hintersassen der geistlichen und weltlichen Obrigkeiten, von welchen sie sich beschwert vemeinen* (Fundamentais e verdadeiros artigos principais de todo campesinato sob as autoridades religiosas e seculares, pelas quais se creem sobrecarregados. In: LAUBE, A. & SEIFERT, H.W. (orgs.). *Flugschriften der Bauernkriegszeit* – 2. Berlim, 1978, p. 26-34).

2. À margem do texto dos *Doze artigos* seus autores fizeram referência a numerosas passagens bíblicas.

3. O teor desse artigo é o seguinte: "12º – É nossa decisão e opinião definitiva que, se um ou mais artigos aqui estabelecidos não estiverem de acordo com a Palavra de Deus, como pensamos que estejam, os mesmos nos sejam denunciados como inconvenientes mediante a Palavra de Deus. Estamos dispostos a desconsiderá-los se nos for demonstrado isso com argumentos da Escritura" (*Flugschriften...* p. 31, 2-6).

4. Refere-se ao documento *Handlung, Ordnung und Instruktion, so fürgenommen worden sein von allen Rotten und Haufen der Bauern, so sich zusammen vepflicht haben* – 1523 (Ação, ordem e instrução estabelecidas por todas as hordas e grupamentos de camponeses que se comprometeram mutuamente – In: *Flugschriften...* p. 32-34) –, o estatuto da união de Memmingen, assinado pelos líderes dos três grupamentos de camponeses da alta Suábia a 07/03/1525 e posteriormente publicado em diversas versões.

5. No texto original *welltlich regiment* e *Go(e)tlich wort,* que são usados como sinônimos, respectivamente, de "reino do mundo" e "Reino de Deus".

6. À época da redação do presente escrito, Lutero interpretou em diversas ocasiões fatos incomuns como sinais dos tempos. Incluíam-se aí notícias acerca de natimortos acéfalos ou bebês deformados, relatos de aparições, no céu, do arco-íris à noite ou do sol ladeado por outros dois sóis, e profecias sobre enchentes no Rio Elba, que banha a cidade de Wittenberg.

7. Em *Da autoridade secular, até que ponto se lhe deve obediência.*

8. Cf. tb. Jó 12,21.

9. Mt 24,11. Refere-se a Müntzer, Karlstadt, Pfeiffer e outros. Desde fevereiro de 1525, Müntzer encontrava-se novamente em Mühlhausen, fazendo sua pregação.

10. Referência ao Duque Jorge, o Barbudo, da Saxônia, que promulgou um decreto a 10/02/1522 contra Lutero e seus seguidores, em que como príncipe cristão comprometeu-se a ponto de sacrificar o corpo e o patrimônio para impedir que seus obedientes súditos fossem importunados por ideias acristãs.

11. Cf. Gl 6,7.

12. Trata-se de uma acusação corrente na época, proveniente de círculos hostis à Reforma. Até mesmo os autores dos *Doze artigos* posicionaram-se contra tal afirmação no começo do escrito: "Há muitos anticristãos agora que injuriam o Evangelho por causa do campesinato reunido, dizendo que esses seriam os frutos do novo evangelho..." (cf. *Flugschriften...* p. 26,5-7). Ao que parece, aqui Lutero está se apoiando justamente nesse trecho.

13. Veja abaixo *Carta aos príncipes da Saxônia sobre o espírito revoltoso.*

14. Cf. Mt 3,9.

15. Cf. Lv 26,36.

16. "À nobreza cristã alemã, acerca da melhoria do estamento cristão". In: *Obras selecionadas,* vol. II, p. (277) 279-340.

17. Isto é, "fizeram pouco caso deles [os artigos escritos por Lutero]". No texto original tem-se *yhr die habt ynn den wind geschlagen,* expressão idiomática baseada no latim clássico *ventis tradere,* de Horácio. *Carmina* 1, 26, 2s.

18. Seu teor é o seguinte: "Em primeiro lugar, é nosso humilde pedido e desejo, também a vontade e opinião de todos nós, que doravante queremos ter poder e autoridade, que a reunião de toda a comunidade possa ela mesma escolher e eleger um pastor. E que tenha a autoridade para depô-lo novamente, caso comportar-se inconvenientemente. Esse pastor eleito deve pregar-nos o Evangelho pura e claramente, sem qualquer acréscimo de homens, doutrinas e mandamento" [...] No segundo artigo eles se prontificam a pagar o dízimo, ordenado no Antigo Testamento, mas se reservam o direito de administrá-lo eles mesmos, usando-o para o sustento do pastor e para socorro aos pobres (cf. *Flugschriften...* p. 27, 6-11.20;28,11).

19. Os camponeses não têm o direito de reter o dízimo nem de dispor dele, pois trata-se de tributação estatal.

20. Trata-se de uma tributação da herança, mencionada no 11º art. do campesinato. No texto alemão, *leibfall e auff setze*. No primeiro caso, trata-se de uma tributação de herança, chamada de *Todfall* no 11º art. (cf. *Flugschriften...*, p. 30, 29-41), em que se reivindica sua abolição. Para que os parentes de um servo de gleba falecido tivessem direito à herança de sua propriedade pessoal deveriam entregar ao senhor uma parcela desta a título de tributo. Já *auff setze* pode dignificar "sobretaxa", "prescrição" ou "imposto".

21. Cf. Lc 1,52.

22. No ano anterior, em *Pronunciamento de defesa altamente motivado e resposta contra a carne despida de espírito, a carne de vida folgada de Wittenber,* Müntzer chamara Lutero de "bobalhão adulador", que "se faz de hipócrita diante de ímpios bobalhões [os príncipes]". Cf. MÜNTZER, T. *Schriften und Briefe*: Kritische Gesamtausgabe. Gütersloh, 1968, p. 323, 24 e 327, 23s. – Nota do org.: Este texto de Müntzer e o cap. 8 desse livro.

23. O estatuto da União de Memmingen começa com as palavras: "Para louvor e honra do todo-poderoso e eterno Deus, mediante a intercessão do santo Evangelho e da divina palavra, igualmente na presença da justiça e do direito divino, a união e liga cristã inicia..." (cf. *Flugschriften...* 32,2-5). A apelação ao direito divino constitui-se em princípio geral, sobre o qual quase todos os grupamentos de camponeses basearam suas reivindicações.

24. Cf. respectivamente Gn 7 e 19,24s.

25. Cf. Ex 20,7.

26. Desde o século XIII havia teólogos que apelavam ao princípio aristotélico da equidade para solucionar questões não resolvíveis a partir do direito positivo. Lutero se colocou entre eles (cf. p. ex., *De votis monasticis*, WA 8, 662,1s.). Ao fazer uso da equidade, a pessoa se decide por uma posição intermediária e justa entre dois extremos. Lutero baseou sobre a equidade a lei natural, por exemplo: o direito emergencial, pelo qual a autoridade secular poderia intervir sobre a Igreja, combatendo nela a corrupção e reformando-a. Fez o mesmo ao emitir juízos sobre questões econômicas, pois especialmente ali o direito positivo se omitia em relação às inéditas práticas pré-capitalistas (cf. *Obras selecionadas*, vol. II, p. 150-153, e vol. V, p. 458, 11-19; 468, 18-34).

27. Cf. Hb 13,5.

28. Cf. Mt 5,40.

29. Cf. Mt 5,44.

30. No original *seltzamer vogel*, corresponde à expressão *rara avis*, frequentemente usada por autores latinos: Horácio (*Sermones*, 2, 2, 36), Juvenal (*Satyrae*, 6, 165) e Erasmo (*Adagia*, 2, 1, 21).

31. Cf. Lc 22,50; Jo 18,10.

32. Cf. Rm 1,16.

33. Cf. Is 61,1; Lc 4,18.

34. Cf. 1Pd 2,21s.

35. No prefácio aos *Doze artigos* se lê: "Em primeiro lugar, o Evangelho não é motivo para revolta e tumulto, visto que é uma palavra de Cristo, o Messias prometido, palavra essa que nada ensina senão amor, paciência e fraternidade, de maneira que todos os que creem nesse Cristo se tornam amáveis, pacíficos, pacientes e cordatos" (cf. *Flugschriften...* p. 26,16s.).

36. Cf. 1Rs 18,36-38.41-46; Tg 5,17s.

37. Cf. Lc 18,13.

38. No texto original lê-se *behellt den brey ym maule*, que literalmente se traduz: "fica com a papa na boca". Trata-se de um ditado reunido por Lutero à sua coleção (cf. WA 51,650, n. 135;682s.).

39. Lê-se no prefácio: "Portanto, o fundamento de todos os artigos dos camponeses aponta no sentido de que o Evangelho seja ouvido e se viva de acordo com ele. [...] Em segundo lugar, a consequência clara e pura e que os camponeses, os quais em seus artigos anseiam por esse Evangelho como doutrina e para a vida, não podem ser chamados de insubordinados e subversivos" (*Flugschriften...* p. 26, 17-19, 26-29).

40. "Ele [Deus], que ouviu os filhos de Israel a lhe clamar e os libertou da mão do faraó, não pode ainda hoje resgatar os seus?" (*Flugschriften...* p. 26, 31; 27, 2).

41. Cf. Mt 2,9.

42. Cf. *Flugschriften...* p. 27, 6-19.

43. Cita-se a título de fundamentação bíblica: 1Tm 3,1-7; Tt 1,6-9; At 14,23.

44. Cf. Mt 10,23.

45. Cf. *Flugschriften*... p. 27, 20; 28, 1.

46. A observação não se encontra no prefácio, e, sim, numa glosa marginal no art. 2º. Cf. *Flugschriften*... p. 28, 4-7.

47. Cf. Pr 3,9.

48. Cita-se a título de fundamentação bíblica; Sl 110,4; Gn 14,20; Dt 18,1; 12,6; 25,4; Mt 10,9s.

49. Cf. *Flugschriften*... p. 28, 12-29.

50. Cf. 1Cor 7,21-24; Ef 6,5-8; Cl 3,22; 1Tm 6,1s.; Tt 2,9s.

51. Referência ao escrito *Von leybaygenschaft odder knechthaid, wie sich Herren vnd aygen leut Christlich halten sollend, Bericht auss göttlichen Rechten – 1525* (Sobre vassalagem ou servidão, como senhores e vassalos devem portar-se cristãmente: Relato a partir do direito divino – 1525. In: *Flugschriften*... p. 242-260), originalmente uma prédica realizada no dia 19 de fevereiro do mesmo ano de publicação, onde Régio discutiu a questão: se um cristão também poderia possuir servos, sem, contudo, questionar a servidão em si. Ele também redigiu, a pedido do conselho da cidade de Memmingen, um parecer relativo às exigências dos camponeses, no qual postulou o reconhecimento incondicional da autoridade e reprovou a rebelião. Mesmo assim, suas manifestações primaram pela sobriedade, objetividade e sensibilidade quanto à questão social, o que fez com que se colocasse ao lado dos camponeses e advertisse a autoridade, lembrando seus deveres.

52. Pessoas que uma vez aceitaram o puro Evangelho e que agora retornam à situação anterior, buscando salvação por obras da lei. Cf. Gl 3,1.

53. Cf. Juvenal. *Satirae* 10, 1125: Ad generum Cereris sine caede et sanguine pauci. – Descendunt reges et sicca morte tyranni.

54. Cf. Jz 9,23.

55. Cf. Nm 16,31-35; 2Sm 18,9-17; 2Sm 20,21s.; 1Rs 16,18s.

4

* Texto original em WEHR, G. (ed.). *Thomas Müntzer*: Schriften und Briefe. Frankfurt: Fischer, 1973, p. 196-205.

1. Este texto é a primeira tomada pública de posição, da parte de Lutero, contra Tomás Müntzer. Após tentar trazer Müntzer para seu grupo, e percebendo que este se distanciava sempre mais, Lutero, ao ter conhecimento da *Homilia aos príncipes (Interpretação do segundo capítulo de Daniel* – cap. 7 deste livro), resolveu dirigir-se às autoridades. A leitura comparada dos dois textos, bem como da resposta de Müntzer (*Pronunciamento de defesa altamente motivado...* – também traduzido nesta obra, cap. 8), mostra as divergências irreconciliáveis entre os dois reformadores. Observe-se também como, em diversos pontos, Lutero não reproduz corretamente o pensar de seu oponente.

2. Trata-se de Frederico III, o Sábio, que, na qualidade de príncipe-eleitor da Saxônia, era a autoridade civil sob a qual se encontrava Lutero.

3. João, o Constante, irmão e sucessor de Frederico.

4. Provavelmente refere-se ao Duque Jorge, da Saxônia, adversário de Lutero, que entretanto, em Mühlhausen, em maio de 1525, aliando-se aos reformadores luteranos, venceu aniquiladoramente os camponeses.

5. Tomás Müntzer; alusão aos "anos de peregrinação" entre a expulsão de Zwickau, em abril de 1521, e seu emprego em Allstedt, na primavera de 1523.

6. Aqui Lutero também pensa nos profetas de Zwickau, que dois anos antes haviam chegado a Wittenberg.

7. Em alemão: "Bibel, Bubel, Babel". Numa conversa com Agrícola, Müntzer teria dito com desdém: "Ora, Bíblia, patife, Babel! É preciso rastejar-se para um cantinho e falar com Deus".

8. Nesse contexto "espírito" é usado repetidamente como denominação irônica para Müntzer.

9. Compare as prédicas de *Invocavit* de Lutero, 1522, e seu escrito: *Das duas formas do sacramento*.

10. Müntzer negou ter visitado Lutero em Wittenberg. Por isso, deve-se pensar que a referência seja a T. Stübner e N. Storch, de Zwickau.

11. Alusão à destruição da capela de Mallerbach pelos habitantes de Allstedt.

12. Localidades onde se encontravam opositores de Lutero.

13. Ao tempo do presente escrito, em julho de 1524, Müntzer proferiu a homilia de Allstedt aos príncipes (*Interpretação do segundo capítulo de Daniel* – cap. 7 deste livro). Sobre o modo da justificação exigido por Lutero, ao qual Müntzer, em princípio, estava disposto, não foi possível chegar a um acordo sobretudo porque Müntzer exigia a máxima publicidade.

14. Justamente a isto Müntzer estava disposto. O que ele negava era sobretudo a competência exclusiva dos de Wittenberg. Compare a Carta n. 52, ao Duque João: "Eu quero ter presentes os romanos, os turcos, os pagãos".

15. Müntzer, em seu texto *Protestation oder Erbietung...* (Protesto ou disposição ao confronto...), diz exatamente que se dispõe a apresentar-se perante a comunidade, mas não à reunião em pequeno grupo.

16. Müntzer provavelmente foi testemunha da Disputa de Leipzig, entre Lutero e João Eck.

17. O Cardeal Caetano.

18. Naqueles dias (abril de 1521) Müntzer foi expulso de Zwickau.

19. Visionário: denominação apreciada por Lutero para os que têm mentalidade reformadora mas defendem uma outra opinião que a dele, como por exemplo Karlstadt, os anabatistas, os de Zuriquc.

20. Lutero atribui a Müntzer o que este jamais admitiu.

21. Compare MÜNTZER. *Protestation oder Erbietung*, n. 5 e 6.

22. Lutero mede Müntzer exclusivamente pelos atos dos iconoclastas. Nenhuma palavra é dita sobre o trabalho de renovação religiosa em Allstedt.

23. Justamente esse modo de agir, em conformidade com os interesses dos governantes, Müntzer criticou arduamente.

24. No sentido da Reforma de Lutero.

25. Isto é: Lutero imputa a Müntzer em cada caso apenas atividades iconoclastas.

26. Alusão à "aliança dos eleitos" de Müntzer.

27. Palavra latina, significa *todos*. É a denominação desprezível de Lutero para o povo.

5

* Texto original em WEHR, G. (ed.). *Thomas Müntzer: Schriften und Briefe.* Frankfurt: Fischer, 1973, p. 206-210.

1. Refere-se ao texto: *Exortação à paz, com vistas aos Doze artigos dos camponeses da Suávia,* de fins de abril de 1525.

2. Tomás Müntzer.

3. Compare-se em Müntzer a interpretação desta passagem, acentuada de modo diferente.

4. Referência à "aliança fiel à vontade divina", da qual Müntzer fala na Carta 59.

5. Alusão aos Doze artigos.

6. Justamente isto Müntzer contesta expressamente.

7. Essa suposição global tem como hipótese que, no fundo, nada pertence ao pequeno agricultor e que qualquer forma de uso comunitário é apresentada como roubo.

8. Pelo dito, se deixa deduzir como se afiguram os pressupostos e condições para os camponeses.

9. Também Lutero pensava – se bem que diferente de Müntzer – de modo apocalíptico e contava com o romper iminente do juízo final.

10. No fundo também aqui se encontra a doutrina dos dois reinos.

11. No ardor do debate Lutero concorda com Müntzer no valor da violência para a salvação dos justos.

Vozes de Bolso

- *Assim falava Zaratustra* – Friedrich Nietzsche
- *O Príncipe* – Nicolau Maquiavel
- *Confissões* – Santo Agostinho
- *Brasil: nunca mais* – Mitra Arquidiocesana de São Paulo
- *A arte da guerra* – Sun Tzu
- *O conceito de angústia* – Søren Aabye Kierkegaard
- *Manifesto do Partido Comunista* – Friedrich Engels e Karl Marx
- *Imitação de Cristo* – Tomás de Kempis
- *O homem à procura de si mesmo* – Rollo May
- *O existencialismo é um humanismo* – Jean-Paul Sartre
- *Além do bem e do mal* – Friedrich Nietzsche
- *O abolicionismo* – Joaquim Nabuco
- *Filoteia* – São Francisco de Sales
- *Jesus Cristo Libertador* – Leonardo Boff
- *A Cidade de Deus – Parte I* – Santo Agostinho
- *A Cidade de Deus – Parte II* – Santo Agostinho
- *O conceito de ironia constantemente referido a Sócrates* – Søren Aabye Kierkegaard
- *Tratado sobre a clemência* – Sêneca
- *O ente e a essência* – Santo Tomás de Aquino
- *Sobre a potencialidade da alma – De quantitate animae* – Santo Agostinho
- *Sobre a vida feliz* – Santo Agostinho
- *Contra os acadêmicos* – Santo Agostinho
- *A Cidade do Sol* – Tommaso Campanella
- *Crepúsculo dos ídolos ou Como se filosofa com o martelo* – Friedrich Nietzsche
- *A essência da filosofia* – Wilhelm Dilthey
- *Elogio da loucura* – Erasmo de Roterdã
- *Linguagem corporal em 30 minutos* – Monika Matschnig
- *Utopia* – Thomas Morus

- *Do contrato social* – Jean-Jacques Rousseau
- *Discurso sobre a economia política* – Jean-Jacques Rousseau
- *Vontade de potência* – Friedrich Nietzsche
- *A genealogia da moral* – Friedrich Nietzsche
- *O Banquete* – Platão
- *Os pensadores originários* – Anaximandro, Parmênides, Heráclito
- *A arte de ter razão* – Arthur Schopenhauer
- *Discurso sobre o método* – René Descartes
- *Que é isto – A filosofia?* – Martin Heidegger
- *Identidade e diferença* – Martin Heidegger
- *Sobre a mentira* – Santo Agostinho
- *Da arte da guerra* – Nicolau Maquiavel
- *Os Direitos do Homem* – Thomas Paine
- *Sobre a liberdade* – John Stuart Mill
- *Defensor menor* – Marsílio de Pádua
- *Tratado sobre o regime e o governo da cidade de Florença* – J. Savonarola
- *Primeiros princípios metafísicos da Doutrina do Direito* – Immanuel Kant
- *Carta sobre a tolerância* – John Locke
- *A desobediência civil* – Henry David Thoureau
- *A ideologia alemã* – Karl Marx e Friedrich Engels
- *O conspirador* – Nicolau Maquiavel
- *Discurso de metafísica* – Gottfried Wilhelm Leibniz
- *Segundo Tratado sobre o governo civil e outros escritos* – John Locke
- *Miséria da filosofia* – Karl Marx
- *Escritos seletos* – Martinho Lutero
- *Escritos seletos* – João Calvino
- *Que é a literatura?* – Jean-Paul Sartre
- *Dos delitos e das penas* – Cesare Beccaria

CATEQUÉTICO PASTORAL

Catequese – Pastoral
Ensino religioso

CULTURAL

Administração – Antropologia – Biografias
Comunicação – Dinâmicas e Jogos
Ecologia e Meio Ambiente – Educação e Pedagogia
Filosofia – História – Letras e Literatura
Obras de referência – Política – Psicologia
Saúde e Nutrição – Serviço Social e Trabalho
Sociologia

TEOLÓGICO ESPIRITUAL

Biografias – Devocionários – Espiritualidade e Mística
Espiritualidade Mariana – Franciscanismo
Autoconhecimento – Liturgia – Obras de referência
Sagrada Escritura e Livros Apócrifos – Teologia

REVISTAS

Concilium – Estudos Bíblicos
Grande Sinal – REB

PRODUTOS SAZONAIS

Folhinha do Sagrado Coração de Jesus
Calendário de mesa do Sagrado Coração de Jesus
Agenda do Sagrado Coração de Jesus
Almanaque Santo Antônio – Agendinha
Diário Vozes – Meditações para o dia a dia
Encontro diário com Deus
Guia Litúrgico

VOZES NOBILIS

Uma linha editorial especial, com importantes autores, alto valor agregado e qualidade superior.

VOZES DE BOLSO

Obras clássicas de Ciências Humanas em formato de bolso.

CADASTRE-SE
www.vozes,com.br

EDITORA VOZES LTDA.
Rua Frei Luís, 100 – Centro – Cep 25689-900 – Petrópolis, RJ
Tel.: (24) 2233-9000 – Fax: (24) 2231-4676 – E-mail: vendas@vozes.com.br

UNIDADES NO BRASIL: Belo Horizonte, MG – Brasília, DF – Campinas, SP – Cuiabá, MT
Curitiba, PR – Fortaleza, CE – Goiânia, GO – Juiz de Fora, MG
Manaus, AM – Petrópolis, RJ – Porto Alegre, RS – Recife, PE – Rio de Janeiro, RJ
Salvador, BA – São Paulo, SP